PARA QUÉ SIRVE LA FE

Aportaciones para un diálogo
con los no creyentes

www.edaf.net

MADRID - MÉXICO - BUENOS AIRES - SAN JUAN - SANTIAGO

2016

© 2016. P. Santiago Martín
© 2016. De esta edición, Editorial EDAF, S.L.U.

Editorial EDAF, S. L. U.
Jorge Juan, 68. 28009 Madrid
http://www.edaf.net
edaf@edaf.net

Algaba Ediciones, S.A. de C.V.
Calle, 21, Poniente 3323, Colonia Belisario Domínguez
Puebla, 72180, México. Tfno.: 52 22 22 11 13 87
jaime.breton@edaf.com.mx

Edaf del Plata, S. A.
Chile, 2222
1227 - Buenos Aires, Argentina
edaf4@speedy.com.ar

Edaf Antillas, Inc
Local 30, A2, Zona Portuaria Puerto Nuevo
San Juan, PR (00920)
carlos@forsapr.com

Edaf Chile, S.A.
Coyancura, 2270, oficina 914, Providencia
Santiago - Chile
comercialedafchile@edafchile.cl

2.ª reimpresión, mayo 2016

Depósito legal: M-1767-2016
ISBN: 978-84-414-3615-2

PRINTED IN SPAIN   IMPRESO EN ESPAÑA
Impreso por Ulzama

ÍNDICE

INTRODUCCIÓN

Shakespeare hizo decir a su dubitativo Hamlet una frase que se ha convertido en paradigma: «Ser o no ser, esa es la cuestión». Para el príncipe de Dinamarca se trataba de escoger entre el camino del silencio cómplice o el de la fidelidad al honor del padre difunto; en ambos casos se encontraba con amores solemnes; la madre, la novia y su propia seguridad por un lado, el padre y el respeto a sí mismo por otro. La genialidad de Shakespeare al escribir esa obra estuvo, sobre todo, en ponerle un rostro humano a la duda, un rostro existencial, que desborda el ámbito del *hacer* o *no hacer* para transformarse en un *ser o no ser* que implica por entero a la naturaleza humana.

Años después, un pensador francés, Descartes, usando la duda como instrumento metodológico de investigación, cree encontrar en la certeza de que el pensamiento es la roca firme sobre la que se puede construir el edificio de la sabiduría. Descartes inaugura así una nueva etapa en la historia de la filosofía, representada muy esquemáticamente por su emblemática afirmación «Pienso, luego existo». Así de fácil, a la vez que así de pobre y de injusto.

Cito estos dos grandes nombres de la literatura y del pensamiento, porque son, junto con muchos otros, padres lejanos, pero aún influyentes, de la actual situación. Con ellos el hombre parece emerger de un limbo de ingenuidad en el que todo se creía por la simple apelación al argumento de autoridad: lo ha dicho tal respetable maestro, debe ser verdad; lo dice la Biblia, no se puede dudar.

Dejando aparte los reduccionismos injustos, se puede decir a grandes rasgos que a partir de la Edad Moderna cobra nuevo impulso el afán investigador, no solo científico, sino también filosófico. La duda parece ser la gran baza que permite los avances. El hombre empieza a dudar de los maestros medievales y quiere estar seguro del terreno que pisa. Puestos a dudar, no lo hace solo acerca de si la Tierra es el centro del Universo -Copérnico, Galileo-, sino que amplía su horizonte crítico hacia lo esencial, hacia lo que entonces era absolutamente esencial: la existencia misma de Dios. Al principio esta duda metódica se aplicó sobre todo a la veracidad de las características que se atribuían a ese Dios y a las implicaciones científicas que se podían deducir de los textos sagrados; es decir, se empezó por dudar de la legitimidad de la Iglesia para hablar con autoridad incuestionable sobre el Dios en el que se creía en Occidente, el Dios revelado por Cristo. Solo después los golpes de derribo se fueron dirigiendo hacia la existencia misma de ese Dios.

Pero, antes de llegar a contemporáneos como Feuerbach o Freud y preguntarnos por el estado de la situación actual y la conveniencia de tener fe o no tenerla, hay que volver al viejo Shakespeare y a su Hamlet. Su duda no era religiosa, dado que ni tenía motivos ni se lo hubiera permitido la rígida reforma isabelina que regía en Inglaterra. Su duda era existencial y afectaba a cuestiones profundas, aunque terrenales. Sin embargo, podemos tomar prestada su formulación para aplicarla a un asunto más esencial y fundante: la fe en la existencia de Dios o la increencia. Así, si Hamlet dijo «Ser o no ser, esa es la cuestión», nosotros podemos plagiarle y añadir: «Creer o no creer, esa es la gran cuestión existencial que desde siempre ha planeado sobre el hombre»; en la fe o en el ateísmo es donde más radicalmente se dirime lo que el hombre es y solo desde ahí se le pueden pedir responsabilidades acerca de lo que hace. Ser o no ser, creer o no creer, esa es la elección que cada ser humano, individual y único, tiene planteada desde que empieza a ser consciente de su existencia, desde que piensa y se hace preguntas acerca de su origen, sus fines y sus motivaciones.

¿Qué motivos ha encontrado históricamente el hombre para elegir entre la fe o la increencia? ¿Qué le ha dado mejor resultado, suponiendo que siempre hayan existido seres humanos que han optado por uno u otro de los dos caminos? ¿Es el hombre razón pura, como han parecido defender algunos pensadores? ¿Ante los grandes problemas de la vida, está mejor preparado el creyente o el no creyente? ¿Y ante la muerte, le sirven de algo a la mayoría las reflexiones y las dudas de los filósofos?

Este libro trata de dar respuestas a estas preguntas. Esta obra no es una historia de las religiones y mucho menos de los distintos tipos de increencias. Pretende aportar un poco de luz a un problema tan vital como eterno; una luz que quisiera proceder del sentido común, del equilibrio integrador entre lo que dicta la razón y lo que enseña el corazón, con el fin de ayudar al hombre a encontrar las respuestas que le sirvan para vivir con paz y esperanza.

CAPÍTULO I. UNA LARGA LUCHA

LA FE Y SU IMPLANTACIÓN EN LA HISTORIA DEL HOMBRE

Hace más de un millón de años, según dicen los antropólogos, vivía un homínido al que podríamos considerar como antepasado nuestro. Los científicos lo han llamado *Homo erectus*, por su andar erguido y por su capacidad para desarrollar algunas de las cualidades que integran el concepto de humanización: la utilización y creación de instrumentos, así como el desarrollo de un lenguaje. Este tipo de homínido, perteneciente ya al mismo género que nosotros y que se desarrolló entre los dos millones y los trescientos mil años atrás, se considera el último eslabón de la hominización. A partir de él empieza la humanización. Una de las características humanas que, según los antropólogos, le falta es precisamente la carencia de rastros de enterramientos. Se han encontrado restos de él y de sus herramientas tanto en China como en Java; se sabe que utilizaba el fuego y que existía ya la división de trabajo entre el hombre y la mujer, pero no enterraban a sus muertos; es decir, no tenían creencias religiosas. Eran todavía solo animales.

Al final de la etapa del *Homo erectus* empieza a surgir otro primate al que ya podemos considerar con propiedad antepasado directo nuestro. Pertenece ya a nuestro mismo género y especie. Es el Homo sapiens *neanderthalensis*, que se supone vivió hace 350.000 años. Este «primate» es catalogado por los científicos como un miembro de la especie humana, no solo por su mayor civilización, sino porque practica ya enterramientos rituales, lo cual prueba la existencia de fe en una vida ultraterrena. Así lo describe Arturo Valls en *Introducción a la antropología**, y así está reconocido por la comunidad científica internacional. Las demás subespecies que siguieron al Hombre de Neanderthal, desde el Hombre de Cromagnon hasta el *Homo sapiens sapiens* que somos nosotros, han tenido en común esta misma característica: el culto a los muertos, la creencia en que esta vida es solo una etapa y que cuando ella termina se entra a la fuerza en una situación nueva.

La religiosidad, por tanto, no solo ha estado presente desde los albores del origen genético del hombre, sino que es considerada como una de las principales características que ayudan a los científicos a determinar si en los restos prehistóricos que se encuentran había o no vida auténticamente humana. Se puede decir, en definitiva, que humanidad y religión son inseparables compañeras de viaje: solo hay religión en la especie humana y solo existe especie humana cuando hay religión.

La religiosidad, por otro lado, es un fenómeno universal. No se conoce ningún pueblo, ninguna cultura, sin religión. Otra cosa distinta es que todos los individuos de ese pueblo sean religiosos, pero el conjunto en cuanto tal sí lo es y así lo ha ido expresando de forma cada vez más evolucionada. Si nuestros primeros padres se limitaban a enterrar a sus muertos poniendo los cuerpos en una forma determinada y acompañándolos con algunos de los objetos que les habían pertenecido en vida, la diferencia entre lo que ellos hacían y lo que llevaron a cabo los faraones egipcios miles de años después solo es cuantitativa pero no cualitativa; los unos utilizaban grutas y adornos de conchas o cuerno, mientras que los otros construían las magníficas pirámides y las llena-

---

*Labor, Barcelona, 1980.

ban de tesoros, pero en el fondo todos estaban haciendo en esencia lo mismo: prepararse a sí mismos y preparar a sus seres queridos para la vida en el mas allá, vida que estaban convencidos de que existía.

Los estudiosos de la historia de las religiones, de entre los cuales Mircea Eliade fue uno de los grandes maestros y pioneros, coinciden en afirmar que el hombre de todas las épocas, desde que abandonó la categoría taxonómica de mono, es un hombre creyente. Esta *fe*, por muy primitiva que sea, lleva consigo el sentimiento de una dependencia total en relación a un poder suprahumano que trasciende todo lo que la experiencia sensible pueda percibir; otras características suelen ser la creencia en un mundo invisible ultraterreno (Eliade lo llamaba *nostalgia del Paraíso*), la posibilidad de comunicación desde esta vida con la otra mediante la oración y a través de los distintos tipos de cultos, las exigencias morales y, por último, la creencia en un Dios bienhechor que dio a los hombres algunas de las mejores cosas que poseen (el fuego, las técnicas agrícolas, los preceptos éticos).

Este tipo de religión primitiva, expresada ya en el neolítico de modo muy evolucionado con la existencia de cultos domésticos o familiares, podrá parecer al hombre contemporáneo no solo anticuada, sino errónea, ligada a la ignorancia de nuestros antepasados. De hecho, son frecuentes los comentarios burlones acerca de ella. Para algunos, incluso, el carácter «milagrero» de la misma es una prueba de su falsedad, pues están convencidos de que es absurdo creer que Dios enseñara al hombre a manejar el fuego o a cultivar la tierra. Los que así piensan están actuando con una gran ligereza; se comportan como si despreciasen los rudimentarios instrumentos de trabajo, en piedra, en hueso o en metal, con que nuestros antepasados empezaron a doblegar la naturaleza.

Los rastros de las antiguas religiones pueden ser primitivos y en muchas de sus características completamente falsos (como, por ejemplo, la fe en que la tierra era plana o en las enseñanzas laborales de los dioses), pero revelan algo que no se puede minusvalorar: desde el primer momento de su existencia como hombre, este tiene conciencia de que hay algo que lo supera y trasciende y a ese «algo» le llama *dios*; la misma intuición que le va a servir para evolucionar técnicamente, le hace consciente también de que después de la muerte hay otra vida y que en esa vida ultraterrena se puede influir de alguna manera desde esta. La forma en que ese hombre primitivo expresa sus intuiciones podrán parecernos ridículas o anticuadas, pero las intuiciones como tales merecen respeto, entre otras cosas parque son las que permiten señalar que en esa especie animal hay un algo que nos permite llamarle *hombre*.

Y si esto podemos decir de la prehistoria, con sus escasos vestigios, mucho más, infinitamente más, podemos observar en esa etapa de la humanidad que llamamos historia debido a la abundancia de muestras culturales, de forma especial la escritura, que han llegado hasta nosotros.

Religión y humanidad han avanzado unidas desde su origen. Las formas de expresión de la intuición o sentimiento religioso han sido ciertamente muy variadas, a veces muy torpes; tan torpes como los rastros culturales que ha ido dejando la humanidad; pero si no nos burlamos de estos, como no nos burlamos de los palotes que hace el niño cuando coge por primera vez el lapicero, haríamos bien en no desechar como ya superadas las intuiciones religiosas que mostró desde el primer momento el ser humano; entre otras razones, porque es muy probable que estén tan unidas a su naturaleza que, si le faltan, deje de ser un hombre para convertirse en otra cosa y ese nuevo ser habrá que ver si es temible o maravilloso, pero en todo caso ya no será lo mismo, ya no será el hombre.

Relación entre creencia e increencia

La religión, tanto en la Prehistoria como en la historia humana, está, como la ciencia confirma, siempre presente en el interés de los hombres y ocupa uno de los lugares preeminentes entre sus objetivos. Esto no significa que en esas sociedades todo el mundo fuera creyente o que todos lo fueran con la misma intensidad. Desde el devoto sincero hasta el indiferente, en las sociedades primitivas, lo mismo que en la actual, habrán existido todo tipo de grados. Otra cosa distinta es que esa indiferencia se pudiera manifestar o que tuviera interés en manifestarse. En todo caso, para tener pruebas de la evolución de las relaciones entre creencia e increencia necesitamos remontarnos a situaciones históricas muy recientes, casi hasta nuestros días, pues el ateísmo como tal no aparece masivamente hasta entonces, por más que en la antigüedad pagana no hayan faltado casos celebres de pensadores que se hayan declarado ateos.

Si buscamos las causas de la fe primitiva en la existencia de uno o varios seres supremos, podemos encontrar varias, aunque todas ellas se resumen en una ya citada: la intuición de que después de esta vida tiene que haber algo más y que en esa «otra vida» hay un «alguien» superior que merece adoración. Para algunos pensadores modernos esta «intuición» no es en absoluto significativa, pues responde a una necesidad humana ante la angustia que le proporciona la muerte. Para estos, el hombre cree porque necesita creer para aliviar su angustia; construye un «cielo» y un «infierno» e incluso uno o varios «dioses» para llenar un vacío que le resulta insoportable, el producido por la consciencia de que está vivo y de que va a desaparecer para siempre. Estos filósofos, aunque se manifiesten comprensivos con esas «debilidades» humanas propias para ellos de culturas primitivas, consideran que lo mejor es asumir la verdad en su estado puro y enfrentarse a la muerte con el pecho descubierto y sin autoengañarse. Para ellos el hombre no alcanza su madurez intelectual hasta que no es capaz de repetirse a sí mismo con tranquilidad de espíritu lo siguiente: «No hay nada, vengo del barro y al barro volveré, lo mismo que lo han hecho los que me dieron la vida y lo mismo que les ocurrirá a aquellos a los que yo les he transmitido ese don».

Resulta difícil entender por qué este planteamiento tan desgarrado y, por lo demás, carente de pruebas que lo justifiquen, se ha hecho tan sugestivo para muchos de nuestros contemporáneos. Porque no hay nada que demuestre que la necesidad crea el objeto necesitado, ya que si fuera así tendríamos que aceptar que el hambre crea los alimentos y eso sabemos que no es verdad: el hombre necesita comer y busca alimentos para saciar su hambre, pero esos alimentos existen, no son imaginaciones. Quizá el secreto del éxito de esta tesis está en que se presenta con un envoltorio ligeramente masoquista mezclado con matices de otro tipo de culto que tiene muchos adeptos, el culto que considera que todo lo que no se puede demostrar en un laboratorio es falso.

En todo caso conviene tomar en serio la crítica, aunque no sea más que por lo numeroso de los seducidos por ella. Más adelante nos fijaremos en las características que se establecen en el debate entre fe y razón. Pero ya desde ahora hay que analizar los principales argumentos de los que consideran una invención humana la fe en la existencia de un dios.

Por lo pronto, aunque esa fe fuera falsa y no existiera la realidad extrema y eterna en la que se cree, merece, como se ha dicho, un profundo respeto: el mismo respeto y admiración con que los antropólogos se acercan a una gruta habitada por el hombre de Neanderthal para descubrir allí sus toscos instrumentos de hueso; el mismo respeto con que los arqueólogos excavan en los subterráneos de las pirámides de Egipto en busca de antiguos tesoros que yacen junto a las momias, expresiones todas ellas de la fe en una vida ultraterrena. Es, pues, un grave error burlarse del pasado y despreciarlo, así, sin más, por primitivo. Si no lo hacemos con las huellas culturales que nos han dejado nuestros antepasados, ¿por qué vamos a hacerlo con ese otro rasgo de su civilización que es la creencia religiosa?

Además, ¿estamos tan seguros de que sus intuiciones estaban siempre equivocadas?

Los hombres de hoy hemos aprendido mucho acerca de casi todo, pero precisamente por eso somos cada vez más conscientes de lo poco que sabemos. Antes, los libros de ciencia se solían llamar «Compendio de...», hoy se titulan más bien «Introducción a...» Cuanto más se sabe, más se comprende que se sabe poquísimo en comparación con lo que falta por saber. Y de lo poco que sabemos, hemos aprendido no solo algunas lecciones de humildad, sino también que algunas intuiciones recogidas en los libros sagrados de muchas de las religiones, terminan por ser confirmadas por la ciencia como reales, al margen del lenguaje pintoresco y simbólico con que están descritas. El hombre sabio de hoy, el verdaderamente científico, ya no se burla con la misma facilidad que lo hacían sus predecesores del siglo XIX o de principios del XX de la sabiduría escondida en las viejas tradiciones budistas o en las hermosas historias del Antiguo Testamento.

Somos conscientes de que hay fuerzas en la naturaleza que se nos escapan y eso nos debe hacer respetar otro tipo de conocimiento distinto al que se plasma en fórmulas físicas o químicas. En ese conocimiento, más intuitivo pero no menos científico, fueron nuestros mayores más expertos que nosotros. Además, ¿por qué reírse de la capacidad intuitiva del hombre, por qué no tomar en serio el hecho de que absolutamente en todas las manifestaciones humanas desde que el hombre dejó de ser un homínido hay rastros de la creencia en dioses y en otra vida? ¿Es que acaso no ha sido la intuición la que ha hecho avanzar la ciencia? ¿Es que no representa también una teoría que exige fe para creer en ella, la afirmación de que la otra vida es una invención del hombre para no desesperarse ante la muerte? ¿Quién puede probar que las cosas son de uno u otro modo? ¿No hemos constatado en infinidad de ocasiones la existencia de un sexto sentido que nos advierte de cosas que los otros cinco sentidos no captan?

El avance del ateísmo

La existencia de ateos -prácticos o teóricos- parece más que probable en cualquiera de las culturas históricas, por más que solo algunos rasgos de su falta de fe en Dios, o en los dioses se puedan encontrar en las obras de ciertos grandes maestros de la Antigüedad. Su importancia e influencia fue muy limitada.

Posiblemente por la escasez de rastros históricos de ateísmo, Zubiri, quizá el mejor filósofo español del siglo XX, decía que el ateísmo es la característica propia de nuestro tiempo. Hasta la época moderna, el cosmos, la naturaleza, la ética, el poder civil y el judicial, estaban rodeados o impregnados de una sacralidad a través de la cual el hombre se hallaba en contacto con lo divino, que era a la vez fuente de vida y fuente de poder y de derechos. El cristianismo medieval supo elaborar una teología que permitió esta concepción sacral o teocrática del mundo, la cual se conoce con el nombre de cristiandad. En ella lo normal era ser creyente y aunque no faltaron en su interior feroces luchas religiosas, estas se daban precisamente por la importancia que Dios y todo lo que le concernía tenían, no solo para una elite dominante, sino para la práctica totalidad de los miembros de la sociedad, incluidos los más pobres y marginados.

Esta situación de «cristiandad» empieza a quebrarse por el avance de la ciencia y por la emancipación de la filosofía con relación a la teología. El universo, el hombre y la sociedad, en otro tiempo dominio de lo sagrado, van siendo conquistados por el propio hombre, que experimenta su crecimiento como un progreso que se hace a costa de alguien que poseía lo que ahora el reivindica como propio. Ese alguien contra el que el hombre lucha es Dios, una determinada idea de Dios que el hombre considera un competidor suyo al que hay que desbancar del centro de interés para poderse poner él en su puesto.

Son muchos los autores que, a la vista de lo dicho, concluyen que el ateísmo actual se origina en el Renacimiento, aunque se fragua sobre todo en la Ilustración y se relaciona de manera indisoluble con la idea de modernidad[*]. Este ateísmo parte de la confianza en la razón humana para dominar la naturaleza, favorecida esta confianza por el continuo progreso que experimentan las ciencias desde finales de la Edad Media y por el consiguiente desarrollo de la técnica que tanto facilita la vida cotidiana de los hombres. Desde ese momento todos los elementos de la cultura empezaron a confluir en una noción que se fue afianzando en lo más profundo del hombre, la de que este ya no necesitaba a Dios para dominar la naturaleza ni para construir una sociedad capaz de satisfacer las necesidades crecientes de comodidad, identificada esta cada vez más con el concepto de felicidad. Desde entonces, y de manera progresiva, el mundo empieza a «secularizarse», a «desacralizarse», a convertirse en un «mundo del hombre» al dejar de ser un «mundo de Dios». El hombre, que ha adquirido una visión optimista de la realidad y sobre todo de las posibilidades que el futuro le brinda, deja de tomar a Dios como punto de referencia no solo en las

---

[*] Véase: J. A. Sayés, *Ciencia, ateísmo y fe en Dios*, Eunsa, Pamplona, 1994.

cuestiones científicas o prácticas, sino también en las mismas cuestiones morales. Vergotte, un estudioso de la psicología del ateísmo, dice que a partir de ese momento el vínculo vital con Dios se disuelve y el mismo Dios se convierte en un ser extraño, irreal e incluso hostil. Desaparece para la mayoría la posibilidad de tener «experiencias personales» de Dios, con lo cual el mundo se convierte para ellos en algo puramente terrestre y neutro, desde el punto de vista religioso.

La modernidad -que es la denominación con que nuestros inmediatos predecesores se calificaban a sí mismos- llena de autosatisfacción, concluye que ha llegado el momento en que el hombre, emancipado por la razón, alcance la madurez. Desde esta óptica se mira hacia atrás y se juzga a las épocas pasadas con un profundo sentimiento de superioridad, como si hubieran estado siempre dominadas por la irracionalidad y el oscurantismo. De esta visión «modernista» de la sociedad, que entra y se extiende ampliamente en lo que llamamos Edad Contemporánea, se pasa a la visión «progresista», que sería la vigente intelectualmente hasta hace muy poco y en la que en realidad todavía están inmersos buena parte de los hombres de nuestra época. Esta visión «progresista» sigue manteniendo una fe ciega en la capacidad del progreso para darle al hombre la felicidad a que aspira y para liberarle de sus esclavitudes internas y externas; la expresión social del progresismo es la actual sociedad secularizada en la cual rige la máxima de que «hay que vivir como si Dios no existiera», tanto en economía y política como en relaciones sexuales o en el uso del tiempo libre. Dios es un extraño del que se puede prescindir sin que pase nada. Este es el arco completo de la evolución, desde aquella sociedad primitiva completamente creyente hasta la actual.

Pero, antes de entrar a analizar las características del momento presente, conviene ver con detalle por qué se ha llegado a esta situación, cuáles son los pasos que se han dado y las trampas que se han hecho en el proceso. De lo contrario, resultará imposible desenmascarar los argumentos con que unos y otros han atacado de forma sistemática el edificio de la fe en Dios hasta dejarlo en el estado en que ahora se encuentra.

Como se ha dicho, el ateísmo contemporáneo arranca del Renacimiento, aunque es la Ilustración la que pone las bases teóricas del mismo. La Ilustración no postuló el ateísmo -era demasiado pronto-, sino que defendió, con éxito entre las elites, lo que se conoce como deísmo: la fe en un Dios que crea el mundo y después le deja abandonado a su suerte. Importaba, como se ve, quitar a Dios de en medio para poner en el centro al hombre; el primer paso de este proceso no buscaba suprimir la idea de Dios, pero sí transformarlo en un ser inocuo para la vida cotidiana, en alguien que ve las casas desde muy lejos y al cual ni le va ni le viene lo que suceda en este pequeño rincón del Universo que se llama Tierra. Los filósofos de la Ilustración creían en Dios; no en vano, Descartes, su maestro, había dicho que «la existencia de Dios es más cierta que el más cierto de todos los teoremas geométricos»; pero empiezan ya a insinuar que todo puede ser fruto de una invención o, al menos, que la invención tendría buenas consecuencias para el funcionamiento moral de la sociedad por su influencia en las capas bajas e iletradas de la población. Voltaire dijo: «Si Dios no existiera, sería necesario inventarlo.»

Pero aparte de esta visión utilitarista de cara a los ignorantes y, sobre todo, de cara a tranquilizar al hombre ante la muerte, el Dios de muchos de los filósofos de la Ilustración es un Dios superfluo, un Dios del que se puede prescindir en casi todos los aspectos de la vida, sobre todo cuando se está iluminado por la «diosa razón», la cual será entronizada oficialmente al producirse el triunfo de la Revolución francesa. El Dios de los intelectuales de esa época es, sobre todo, un Dios que no fundamenta los valores morales. Y de un Dios del que se puede prescindir se termina, más pronto o más tarde, prescindiendo. Por eso, de aquel primer ateísmo *light* se pasará después al ateísmo militante para concluir en el actual agnosticismo o ateísmo práctico, en la indiferencia.

Faltaba mucho, con todo, para llegar a la situación actual. Kant, el gran filósofo alemán, contribuyó a ella, lo mismo que había hecho Descartes, el gran filósofo francés, católico y practicante. El francés había tranquilizado las conciencias de los creyentes, impidiéndoles ver el peligro que corría la fe, al decirles que la duda era la puerta de la sabiduría e incluso la certeza de la existencia humana. El alemán fue más lejos y planteó la existencia de Dios como una duda razonable y necesaria que debía afrontar la razón humana en su evolución; para ser hombres modernos y superar la oscuridad de los antepasados, todos tenían que dudar y debían someter a la prueba de la duda incluso la idea de la existencia de Dios.

De estos maestros, sobre todo de Kant, bebió Hegel, otro alemán, a través del cual se entra ya en el ateísmo militante del siglo pasado y de principios de este. Sus discípulos, Feuerbach, Marx, Freud, Nietzsche y Sartre, han sido tan importantes en la historia del ateísmo contemporáneo que han merecido una etiqueta que vale como denominación de origen; son los «padres de la sospecha», los artífices del fuego graneado y destructivo a que ha estado sometida la fe en Dios durante los últimos decenios.

Los «padres de la sospecha»

Feuerbach, Marx, Freud, Nietzsche, Sartre, Bloch, todos ellos grandes nombres de la filosofía y de la cultura contemporánea. Algunos, incluso, tan importantes que han condicionado la historia hasta el punto de que esta no sería la misma si ellos no hubieran existido. La mayoría fueron casi idolatrados por muchos mientras que eran duramente atacados por otros. Tienen entre sí notables diferencias e incluso sus esquemas filosóficos difieren radicalmente, como sucede entre Marx y Nietzsche. Sin embargo, todos tienen algo en común, algo que ha permitido a los estudiosos del fenómeno del ateísmo contemporáneo agruparlos y calificarlos de «padres de la sospecha». Por uno u otro motivo, y a veces todos bebiendo sin saberlo de la fuente común que fue Hegel, consideran la fe en Dios y mas concretamente el cristianismo como algo atrasado, perteneciente a otras épocas de la historia e impropio de un hombre evolucionado y progresista.

El ateísmo de los «padres de la sospecha» se caracteriza por un elemento sumamente atractivo, en el cual ha radicado su éxito. Esta nota típica procede de aquel sentimiento que empezó a fraguarse en el Renacimiento y que pretendía poner al hombre en el centro del Universo, desplazando si era necesario a Dios de ese lugar hasta entonces exclusivamente suyo. El ateísmo de los grandes maestros contemporáneos es, como el renacentista, fundamentalmente humanista: niega a Dios para ensalzar al hombre. Niega toda dependencia de Dios porque considera que solo así el hombre podrá adquirir la autonomía plena y la libertad absoluta. Dios es el obstáculo que encuentra el hombre en su imparable camino hacia la plenitud; por eso Dios tiene que ser eliminado, no solo del culto social y publico, sino también de la conciencia humana. El éxito y la felicidad del hombre son utilizados, pues, como excusa para atacar a Dios.

Según Forment, uno de los mejores estudiosos del fenómeno, este ateísmo, al ser total y radical, se convierte en radicalmente materialista, por lo que rechaza la existencia del alma. Llega incluso a ser un ateísmo militante, un antiteísmo, pues concibe a Dios como enemigo del hombre y por eso emprende una «cruzada» contra ese Dios, para no solo desbancarle del primer puesto, sino incluso hacerle desaparecer para siempre de la escena, pues solo así el hombre llegaría disfrutar de todas sus posibilidades y poner en funcionamiento todas sus facultades. Va más allá, por tanto, de los ataques precedentes, los que surgieron en el Renacimiento y cuajaron en la Ilustración y en el Modernismo. Ahora ya no se ve a Dios como innecesario, tal y como preconizaba el fideísmo, sino incluso como inoportuno, como obstáculo para la plena realización humana. El hombre, para estos «padres de la sospecha», no necesita recurrir a Dios a fin de explicarse a sí mismo y, por eso, ellos y sus seguidores más radicales consideraran necesaria la lucha contra ese Dios para salvar al hombre.

Ludwig Feuerbach

Para Feuerbach Dios es un concepto racional, una idea, una abstracción. Este filósofo, discípulo de Hegel y perteneciente como Marx a la denominada izquierda hegeliana, proclama y defiende el principio del sensualismo: solo es verdad lo que se puede sentir. Se identifica así el conocimiento con los sentidos; sensibilidad, verdad y realidad se identifican; solo un ser sensible es verdadero y real. Ahora bien, como Dios es una realidad puramente pensada, un concepto racional, no es sensible y por ello no es cognoscible ni real. De este modo la idea de Dios vendría a ser una mera proyección de la sensibilidad humana. Aparece así formulada explícitamente por primera vez la idea de que el hombre «crea» a Dios para satisfacer una necesidad sensible; los demás «padres de la sospecha» van a utilizar esta aportación de Feuerbach, aunque dándole cada uno una aplicación distinta.

Pero, ¿qué aspecto de la sensibilidad es el que el hombre proyecta en Dios según el mismo Feuerbach? El deseo de felicidad y el de inmortalidad.

Para este filósofo la muerte es el aniquilamiento total del hombre, ya que no existe un «más allá». Sigue a Epicuro al afirmar que la muerte es un fantasma por el que no hay que preocuparse y al que no hay que temer, ya que solo es cuando no es y cuando llega no es nada. La muerte es el holocausto del individuo en pro del triunfo de la especie humana. La persona carece de importancia para él, lo que importa es el conjunto de seres humanos. Por eso, la muerte no tiene importancia, porque el conjunto, que es la especie humana, sigue existiendo. La vida ultraterrena, de este modo, no sería más que una ficción inventada por el hombre individual y egoísta, que no quiere asumir su verdadero destino: desaparecer en aras del bien común; el individuo quiere sobrevivir por sí mismo, en lugar de aceptar que ha cumplido una etapa y que sigue existiendo en la supervivencia del conjunto; este deseo individual de supervivencia es lo que, según Feuerbach, le lleva a inventarse un «más allá» en el que seguir existiendo cuando la muerte le alcance.

Desde este planteamiento Feuerbach se convierte en ateo militante, en enemigo de Dios y de la misma idea de Dios, porque considera que el puesto de la divinidad debe ser ocupado por el conjunto de la humanidad. El hombre solo será feliz cuando acepte que su individualidad no es nada, que él mismo como persona no tiene importancia; solo entonces verá venir la muerte con tranquilidad y sin alterarse. La necesidad de felicidad individual no tendría que existir; en su lugar solo debería haber una necesidad de felicidad colectiva.

Una vez que Feuerbach determina dónde esta el error (según el radica en la necesidad individual de felicidad y de supervivencia mas allá de la muerte), se aplica a la terapia para corregirlo. Esa terapia será la lucha contra la idea de Dios. Las propiedades que el hombre, en su deseo de felicidad, proyecta en Dios (amor, justicia, sabiduría, belleza) son en realidad cualidades que la especie humana debe poseer en su conjunto; al estarle atribuidas a Dios, les están siendo usurpadas a los hombres.

Como se ve, el ateísmo militante de Feuerbach lo es en aras del bien del hombre, de lo que ese filósofo considera bueno para el hombre. Esta será una característica común a los demás «padres de la sospecha»: Dios es para ellos el enemigo público número uno al que hay que eliminar para siempre, porque de lo contrario el hombre no alcanzará nunca su naturaleza perfecta, autosuficiente, infinita. Sayes, en la obra antes citada, pone en evidencia el vicio radical de toda la argumentación de este y de los demás filósofos ateos: su crítica a la existencia de Dios carece de argumentación metafísica. Es una crítica que nace de un deseo, del deseo de que Dios no exista. Lo que el hombre echa de menos y necesita, dice Feuerbach, eso es Dios; y el filósofo desearía que Dios no existiese para que el hombre no tuviera que depender de nadie. Pero los deseos no son pruebas, pues si lo fueran tendríamos que decir que la mayor e irrefutable prueba de la existencia de Dios es el deseo de que exista, latente en la inmensa mayoría de los hombres, ateos incluidos.

Es cierto que en el sentimiento religioso interviene la dependencia, pero esta no nace solo de la impotencia ante la naturaleza o ante la muerte, sino de la profunda conciencia de finitud que tiene el hombre y de su deseo de felicidad infinita. Pero de la existencia de esos sentimientos no se puede deducir ni la existencia de Dios ni su no existencia.

En realidad, Feuerbach hace una crítica psicológica y no metafísica a la religión, pues no ataca las razones que argumentan a favor de la existencia de Dios. En todo caso el deseo de felicidad individual, de plenitud y de inmortalidad, está ahí, es tan humano como el hombre mismo y, como se ha visto antes, deja sus huellas en la cultura en el mismo instante en que los científicos determinan que empieza a existir la especie humana como tal. Hace falta una gran fe -en el sentido de creer sin pruebas- en la hipótesis desplegada por Feuerbach, para creer que ese deseo de felicidad individual es un error de la naturaleza y que desaparecerá cuando Dios sea sustituido por el concepto de humanidad. Por mucho que el filósofo alemán se empeñe y aunque la idea de Dios desapareciera del corazón humano, el hombre no va a mirar a la muerte suya o de los suyos con paz e incluso con alegría por el hecho de pensar que otros hombres siguen viviendo, que la Humanidad sigue adelante.

Feuerbach es en realidad un teórico, un espécimen de laboratorio que desconoce cómo es el hombre real y se equivoca al considerar que somos a modo de una célula que forma parte de un conjunto; la diferencia está, precisamente, en que la célula no tiene noción de su existencia individual y el hombre sí. No es la fe en la existencia de Dios, ni la dependencia que experimenta el creyente hacia el Dios en el que cree, lo que le impide avanzar en el desarrollo pleno de sus capacidades y ahí está la historia reciente para demostrarlo sin ningún género de dudas. Más bien, esa fe le da una paz y una fortaleza que el hombre no consigue cuando intenta sustituir a Dios por una humanidad tan abstracta como a veces lejana y enemiga de sus intereses personales.

KARL MARX

La actitud de Marx hacia la religión es continuación de la idea sembrada en él por Feuerbach: la religión, la fe, es un producto humano. Si aquél consideraba que era consecuencia del sentimiento de dependencia y de la necesidad individual de felicidad y de vida eterna, Marx dará un giro económico a esa necesidad, pero seguirá pensando, como su maestro, que la religión es una invención humana que hay que suprimir para que el hombre pueda alcanzar su plenitud. Esta actitud de rechazo va a sufrir una evolución a lo largo de la vida del pensador alemán, en la línea de un mayor endurecimiento, a medida que se acentúe en él el sentimiento de la lucha de clases y su concepción materialista de la vida.

En una primera etapa, influido por Bauer, Marx cree que será suficiente la tolerancia hacia todas las religiones y la consiguiente falta de protección del Estado hacia cualquiera de ellas, para conseguir que todas se debiliten y desaparezcan. Marx propugna la desaparición de la «religión oficial» del Estado, el fin del Estado confesional y la consiguiente desaparición de la religión en el ámbito público, aunque considera aceptable su supervivencia en el ámbito privado.

El paso siguiente lo llevará a afirmar que ni siquiera en ese ámbito privado tiene la religión derecho a existir. Su presencia en la intimidad del hombre, en su conciencia, es para Marx signo de que algo falla en el ser humano, es el síntoma de una enfermedad que aunque no trascienda públicamente hace daño a la sociedad en la medida en que está enfermando al individuo y por tanto tiene que ser erradicada con la misma obstinación que se emplea para curar los males físicos. En este momento su identificación con Feuerbach es plena y eso lo lleva a proclamar que no es Dios quien crea al hombre, sino el hombre quien crea a Dios con su sueño psicológico. Para Marx, Dios es el consuelo mítico e ineficaz de la miseria social. La religión es una droga social, un calmante que ayuda al hombre a evadirse de la realidad, a no sufrir tanto, pero, a la vez, a no luchar para solucionar las causas de su sufrimiento. Por eso, la religión, como cualquier otra droga, es perniciosa, ya que ofrece un consuelo inexistente y evita que se busquen soluciones. Marx concluye con lo siguiente:

«La abolición de la religión, en cuanto dicha ilusoria del pueblo, es necesaria para su dicha real. La exigencia de abandonar sus ilusiones sobre su situación es la exigencia de que se abandone una situación que necesita de ilusiones. La crítica de la religión es, por tanto, en embrión, la crítica del valle de lágrimas que la religión rodea de un halo de santidad.» («La contribución a la crítica de la filosofía del derecho de Hegel», 1844).

Como se ve, tanto para Marx como para Feuerbach, se trata de salvar al hombre de sus alienaciones, lo cual no es posible si no se le salva de la alienación religiosa. Hasta cierto punto considera el fundador del marxismo, que la lucha contra la droga religiosa es la primera que se debe emprender, puesto que, sin ella, los hombres ya no tendrán el consuelo de encontrar una recompensa en la otra vida y se aplicaran con mayor entusiasmo a la conquista de sus derechos en esta tierra, el único mundo en el que van a vivir.

En una tercera etapa Marx critica la religión desde el materialismo histórico. En los Manuscritos económico- filosóficos de 1844 llega a afirmar que «cuantas más cosas transfiere el hombre a Dios, tantas menos conserva». Introduce en ese momento un nuevo concepto, el de que la religión está siendo utilizada por el capitalismo de modo consciente como droga que impida a los pobres la defensa de sus derechos. Para Marx, la religión, el Estado y el Derecho no serían más que superestructuras nacidas del modo de producción capitalista y que se ponen al servicio de la clase dominante. Concretamente, la religión es la droga que los explotadores ofrecen a los explotados para que puedan seguir siendo explotados. De ahí que, según él, la religión desaparecerá cuando desaparezca la explotación económica y se suprima la propiedad privada de los medios de producción; aunque también se pueda afirmar lo contrario: cuando desaparezca la religión, se acelerará el fin del sistema económico capitalista.

Hecha esta exposición de las tesis de Marx sobre la religión, hay que advertir que se ha discutido mucho sobre si su ateísmo era un rechazo a la religión en cuanto tal o a la Iglesia de su tiempo. La mayoría de los analistas de la obra de Marx considera que su ateísmo no es circunstancial, sino que forma parte esencial de su doctrina, por más que en los años anteriores a la caída del Muro de Berlín en 1989 no pocos teólogos hayan intentado hacer compatibles el marxismo con la fe en Dios. El materialismo histórico, en el fondo, no acepta realidades que estén más allá de lo económico-social y que no estén radicalmente determinadas por estas.

En todo caso, y dejando de lado la crítica histórica que al marxismo y a la aplicación de sus doctrinas se le deban hacer a la vista de las terribles consecuencias que ha tenido su aplicación en tantos países del mundo, hay que decir que no es cierto que el hombre solo suspire por Dios cuando hay explotación económica, ni que la religión sea opio que drogue al pueblo y le impida luchar por un futuro terrenal mejor. La realidad demuestra que sociedades religiosas han sido pioneras en la lucha por los derechos humanos, lo mismo que lo han sido hombres y mujeres profundamente creyentes; basta citar, para pesar del comunismo, el caso de Polonia y de los líderes sindicales de Solidaridad. Por último, sus predicciones sobre la desaparición de la religión en los países donde se hubiera abolido la propiedad privada de los medios de producción y se hubiera instalado el socialismo real, también resultaron un fracaso. El interés por la religión en la Rusia soviética y postsoviética es una buena prueba de ello.

ERNST BLOCH

No todos los marxistas evolucionaron en la línea de su maestro. El alemán Ernst Bloch es un exponente del intento por reconciliar marxismo con religión, aunque asumiendo lo esencial de las tesis materialistas y ateas de su inspirador. En su obra clave, *El principio esperanza*, Bloch se refiere a la tensión del hombre por llegar a ser algún día lo que ansía ser y que todavía no es en plenitud. Esa utopía, esa esperanza, es una especie de Reino de Dios sin Dios. En esa esperanza antropológica e inmanente hay una dimensión religiosa, puesto que lleva consigo una fe en algo; esa fe no se tiene puesta en Dios, sino en la llegada del mundo justo que el hombre anhela; se da paso así a una religión del hombre que busca la continua superación de sus limitaciones; el hombre que lucha por este mundo mejor y que está dispuesto a sacrificarse en el empeño por conseguirlo es una especie de «santo» laico, un héroe sin Dios al que no le importa sacrificar lo máximo que tiene, que es su vida en la tierra, pues no cree en el más allá, con tal de hacer avanzar ese mundo mejor con el que sueña y en el que espera; este hombre es una especie de sacerdote de una nueva religión, la religión que proclama la fe en el mundo utópico de la sociedad sin clases.

Pero Bloch es consciente, al contrario que Marx, de que la religión no actúa como opio del pueblo y que no es tan fácil de eliminar del corazón de los hombres. Por eso pretende aliarse con ella en aras del éxito de su mundo utópico. Para Bloch el marxismo es la plenitud del cristianismo y Jesús un gran revolucionario social que predicó a los pobres y luchó por su liberación. Puestos a explicar por qué las cosas no son como, según él, empezaron a ser, Bloch echa la culpa a San Juan Evangelista y a San Pablo, los cuales habrían desvirtuado el cristianismo, divinizando a Cristo e introduciendo dos conceptos tan míticos como falsos: la resurrección y la doctrina del sacrificio redentor de Cristo en la Cruz. De este modo el inicial mensaje revolucionario de Jesús de Nazaret habría sido tergiversado y sustituido por el del cordero manso sacrificado por voluntad propia para dar la vida incluso a los que le matan. Así, en lugar de imitar a un líder revolucionario y guerrillero que justifica la violencia cuando se usa para liberar al pueblo, los cristianos estarían siguiendo e imitando a un personaje que no existió y que ofrece el cuello a la acción de la injusticia. Es esta religión, según Bloch, la que se convierte, como Marx dijo, en «opio del pueblo».

Para criticar a Bloch y ponerle en su sitio hay que empezar por decir que trivializa el hecho de la muerte. Se equivoca, lo mismo que antes lo hizo Feuerbach. Para cada ser humano su propia muerte es algo tan importante que, al menos en general, difícilmente queda justificada por el triunfo de la especie (Feuerbach) ni tampoco por el triunfo de la clase social oprimida o de la utopía del mundo justo (Marx, Bloch).

Les guste o no, lo consideren un error genético o un fallo educacional, la verdad es que la naturaleza humana es tal que nunca acepta quedar sacrificada en su individualidad personal y le sirve de escaso consuelo el que otros de la misma especie sigan viviendo cuando ellos han desaparecido de la faz de la tierra. Si la única realidad que existe es la colectiva, el individuo se hunde en el vacío de la nada y eso es muy difícil de digerir, al menos por la inmensa mayoría.

En relación con los planteamientos de Bloch sobre la tergiversación de la figura de Cristo, se cree que hecha por San Juan y por San Pablo, es una tesis tan vieja como contestada por el análisis riguroso de los textos bíblicos. Como se ha dicho con respecto a los filósofos anteriores, Bloch desearía que las cosas fueran de un determinado modo, porque así le cuadran mejor los esquemas ideológicos que ha elaborado en el laboratorio artificial de su despacho. En realidad, es imposible suprimir del Evangelio los textos en los que Cristo se refiere al perdón, al amor al enemigo, a la Cruz en definitiva; estos textos no están reñidos en absoluto con aquellos otros en los que exige a los suyos que estén dispuestos a amar como Él amó, hasta el límite de la muerte con tal de ayudar a quien lo necesita; lo que ocurre es que si se seleccionan del Evangelio los textos que a uno le interesan y se descartan los que no gustan, ya no se tiene entre manos la figura del Cristo histórico, sino la de un personaje que nunca existió, por muy útil que resulte para justificar las tesis preelaboradas que se desean apoyar con el recurso a ese manipulado personaje.

SIGMUND FREUD

Siguiendo también a Feuerbach, para Freud la religión nace de la necesidad de protección que el hombre siente desde la infancia. En el hombre hay, según él, dos instintos básicos: el de la muerte y el sexual o de la vida. El instinto sexual tiene su raíz profunda en el subconsciente. Como es sabido, Freud distingue tres niveles en el psiquismo humano: el del «ego», que es el más profundo y en el que reside el instinto sexual; el del Yo, que es el consciente; el del superego, que es el que está influido por los conceptos morales de la sociedad. Cuando desde el ego afloran los instintos sexuales, el superego los reprime y estos solo pueden salir a la superficie del yo camuflados de sentimientos nobles y elevados.

El llamado complejo de Edipo, uno de los ejes del pensamiento de Freud, le sirve para explicar el nacimiento del sentimiento religioso. El niño siente atracción sexual por la madre y odia al padre hasta el punto de desear su muerte para suplantarle. El superego censura esta conducta y provoca así un trauma en el niño al hacerle comprender lo monstruoso de sus deseos. En *Tótem y tabú* Freud explica que el deseo de matar al padre avergüenza al hombre y para disculparse y lavar el sentimiento de culpa elabora el concepto de dios como sustituto de la figura del padre; este dios será el tótem y va a recibir una adoración expiatoria por haber deseado ocupar el lugar del padre junto a la madre; ese deseo será, precisamente, el tabú, lo que no se puede transgredir por ser el peor de los pecados. De este modo la religión se convierte, desde el punto de vista freudiano, en una neurosis colectiva originada por el complejo de Edipo. Freud, lo mismo que los demás «padres de la sospecha», concluye que hay que luchar contra la religión hasta hacerla desaparecer debido, en su caso, a este carácter enfermizo que la genera.

Es innegable que Freud fue un psicólogo genial en numerosas de sus intuiciones, pero, en cambio, se equivocó en muchas otras, como han manifestado buena parte de sus mismos discípulos. Peca de reduccionismo y de simplismo al entender al hombre exclusivamente desde el sexo. En el hombre hay instintos aún más fuertes que el sexual, como es el de la conservación del individuo, por no citar la capacidad de sacrificio que ha llevado a muchos a entregar la propia vida en aras de ideales diversos. Además, la necesidad de belleza, de bondad, de justicia y de verdad que hay en el hombre no se justifica por el sexo.

En realidad, lo que sucede es que Freud se ve forzado a justificar el complejo mundo que es el hombre desde una visión materialista del mismo, ya que no admite la existencia de un elemento espiritual que actúe más allá de los impulsos fisiológicos instintivos. En conclusión, se puede decir que si bien es cierto que el sentimiento de inseguridad y el complejo de culpa están presentes en el ser humano, eso no los relaciona directamente con la idea de Dios; la existencia de esos sentimientos no significa, en definitiva, ni que Dios exista ni que no exista. Como los demás, Freud se deja engañar por un concepto sugestivo: «Todo lo que me conviene es fruto de la invención del hombre; la religión le conviene al hombre, luego es falsa.» Hay muchas cosas que al hombre le ayudan e interesan y no por eso son falsas.

Uno de los principales discípulos de Freud, Jung, se apartará decididamente de su maestro en sus tesis sobre el origen de la religión al constatar que esta no solo no es una neurosis colectiva, sino que, por el contrario, la ausencia de sentimientos religiosos en los hombres es causa de frecuentes trastornos psíquicos. Para Jung, el problema de la religión está ligado a la cuestión del sentido último de la vida.

En esta misma línea insiste V. Frankl, para el cual el origen de la neurosis radica, más que en la represión que el superego ejerce sobre el sexo, en la fortísima represión que nuestra sociedad secularizada está efectuando sobre los sentimientos religiosos, lo cual conduce a dejar insatisfecha la necesidad de trascendencia que tiene el ser humano. Curiosamente, de entre los discípulos de Freud surgen, por tanto, voces que afirman lo contrario de lo que él decía: la religión no es fuente de traumas, sino que los traumas vienen por la falta de religión.

FRIEDRICH NIETZSCHE

Como en los casos anteriores, también para Nietzsche la religión es un invento del hombre, aunque en esta ocasión fruto del cansancio, del sufrimiento y de la insatisfacción. Nietzsche proclama -en realidad desea- la «muerte de Dios» y la proclama como el mayor acontecimiento de los tiempos modernos; el ateísmo ha empezado a ser ya la religión del presente y, según él, será la religión del mañana, creciendo y extendiéndose a medida que el hombre se libere de las ataduras que le impone la religión y avance en el camino de la superación de sus limitaciones, en el camino del superhombre.

En *La Gaya Ciencia** Nietzsche expresa su convicción de que la búsqueda de Dios ya no tiene sentido, debido precisamente a que Dios ha muerto; ha muerto a manos de los hombres justo en el momento en que estos han sido lo suficientemente fuertes para vivir sin él. Con la muerte del concepto de Dios, con su desarraigo de la conciencia y de la experiencia humana, Nietzsche cree que desaparece el Dios-Verdad y el Dios- Moral, ambos prototipos del Dios de los cristianos, que es un Dios que vigila y reprime al hombre. La muerte de Dios representa, precisamente por eso, un avance en la historia de la conquista de la libertad por el ser humano, ya que desde que el hombre deja de pensar en Dios no tiene límites que le impidan actuar como a él le apetece, no existen conceptos objetivos de bondad o maldad y, por tanto, no hay trabas morales que le impidan hacer lo que le gusta.

Una de las consecuencias de los postulados filosóficos de Nietzsche es el nihilismo, que este pensador expresa afirmando que una vez muerto Dios «nada es ya verdadero y todo está permitido». La existencia de la religión, sobre todo del cristianismo, le resultaba

---

*Akal, Madrid, 1987.

precisamente por eso muy molesta a este filósofo (llegó a decir: «Aborrezco al cristianismo con un odio mortal»), porque encarna lo que él más desprecia, lo que considera más negativo para el ser humano: las certezas que se desprenden de la existencia de un Dios creador y todopoderoso, que enseña a los hombres a distinguir el bien del mal y que le anima a controlar sus pasiones. Para Nietzsche, la moral no es más que un sistema de prohibiciones, negaciones y frustraciones. Le horroriza especialmente la moral del amor al prójimo y de la igualdad entre los hombres. Lo que hay que hacer, lo natural para este filósofo, es que quien está arriba debe someter al que esta debajo si no quiere ser sometido por él sin ningún tipo de compasión. Esta es la moral de Nietzsche.

Por eso, como sustitutivo de lo que él considera moral represora e hipócrita del cristianismo, Nietzsche proclama la vida exuberante y sin ataduras, sin referencias éticas externas a ella misma que le puedan impedir los goces. Ese tipo de vida se transforma en voluntad de poder, merced al cual surge el superhombre, el vencedor, el sustituto de Dios en el mundo. Con razón se dice que esta filosofía, adoptada por un enfermo como Hitler, sirvió de base ideológica para el nazismo; el concepto de superhombre fue sustituido por el del superpueblo, la raza elegida, la raza aria, ante la cual deberían doblegarse todas las demás del mundo o ser exterminadas, como le sucedió a los judíos.

Dejando de lado las dramáticas consecuencias que estas teorías procuraron a la paz mundial, y desde el punto de vista estrictamente filosófico, hay que decir que, como en los casos anteriores, el ateísmo de Nietzsche no se fundamenta en una demostración de la no existencia de Dios. Nietzsche dice que «Dios ha muerto» no porque haya encontrado un argumento racional que demuestre que Dios no existe, sino porque él desea que Dios desaparezca de la mente del hombre, ya que considera que la noción de Dios le impide al hombre ser él mismo y lo somete a limitaciones externas. Por si esto fuera poco, Nietzsche, en su camino obsesivo hacia esa libertad ilimitada del ser humano, termina por negar los derechos humanos a la inmensa mayoría de esos mismos seres humanos; solo los fuertes, los de la «raza elegida», podrán considerarse verdaderamente hombres; los demás están hechos solo para servir a los otros y no tienen otros derechos que los que los poderosos quieran concederles.

JEAN-PAUL SARTRE

El ateísmo de Jean-Paul Sartre es distinto al de los anteriores, quizá por ser más moderno, aunque en su origen parta del mismo postulado voluntarista de negar la existencia de Dios, porque desea que Dios no exista.

Niega a Dios en aras de una libertad absoluta, a la que se opondría la existencia de ese mismo Dios. Sartre, por tanto, tiene un arranque muy parecido a los otros «padres de la sospecha». De hecho, comenta incluso una famosa frase de Dostoievski que parece inspirada en las tesis de Nietzsche: «Si Dios no existe, todo está permitido». Sartre dice: «En efecto, todo está permitido si Dios no existe, y, en consecuencia, está el hombre abandonado, porque no encuentra en sí ni fuera de sí una posibilidad de aferrarse. El hombre está condenado a ser libre».*

La diferencia inicial entre Sartre y Nietzsche estará en que el filosofo francés reconoce que la libertad absoluta, la que se obtiene cuando se prescinde de la idea de Dios, puede no ser gratificante para el hombre, como pretendía Nietzsche, sino que por el contrario se convierte en una «libertad forzada», en algo que tienes que aceptar aunque no te guste.

---

*El existencialismo es un humanismo, Edhasa, Barcelona, 1992.

Pero el paso definitivo de Sartre en el desarrollo de su ateísmo, lo que le identifica con el ateísmo de nuestros días, es que tras razonar de este modo acerca de la no existencia de Dios concluye que ese razonamiento tampoco sirve para mucho; viene a decir que, en el fondo, la argumentación filosófica sobre la existencia de Dios ya no tiene importancia y es algo que pertenece al pasado, puesto que la situación social es tal que la existencia o no existencia de Dios ya no le importa a casi nadie. Para Sartre Dios está muerto como para Nietzsche, pero por un motivo distinto: no porque haya sido sustituido por un «superhombre» que lo ha matado para ocupar su lugar, sino porque ha sido dejado de lado por el conjunto de los hombres, que lo considera como algo superfluo y sin ninguna incidencia en la vida corriente.

Por último, este filósofo existencialista, que partió del rechazo de la idea de Dios por ser un freno para la libertad absoluta que él quería brindar al hombre y que terminó por definir al ser humano como una «pasión inútil» y a las relaciones sociales como un «infierno», acaba por enfrentarse con el problema más irremediable, el de la muerte.

Si la vida, entendida como Sartre la entiende, es un absurdo, la muerte no es una liberación, sino el absurdo total, ya que la no existencia de algo cuando la muerte llega sume al hombre que ha vivido en medio del infierno en el vacío más absoluto y carente de toda recompensa. El hombre, según Sartre, vive mal y muere peor; vive en un infierno y muere carente de toda esperanza. Y todo esto dicho por uno de los personajes que más ha influido en el pensamiento occidental de la mitad de este siglo, precisamente en esa generación que ahora tiene en torno a los cincuenta años y que perdieron la fe de sus padres cuando se pusieron en contacto con la Universidad.

No resulta difícil criticar a Sartre. Se critica a sí mismo, puesto que el modelo de hombre y de relación social que ofrece es tan poco atractivo y tan poco humano que salta a la vista que las premisas de las que parte están equivocadas. Pero, por desgracia, Sartre es quizá el pensador contemporáneo que mejor refleja la situación de muchos de los hombres actuales: la situación del no pensar, del no plantearse ni siquiera la existencia o la inexistencia de Dios. Dios ha dejado de ser una cuestión de debate; da igual que exista o que no exista, pues no influye para nada en la vida cotidiana. En las páginas siguientes del libro veremos las terribles consecuencias que tiene esta postura, a la luz de lo que está ocurriendo en la sociedad actual, una sociedad que es cada vez más un infierno, precisamente porque es cada vez más un mundo sin Dios.

«Si Dios no existe, todo está permitido», advirtió Dostoievski; Sartre recogió la idea, presente también en Nietzsche, pero no como una amenaza, sino saludándola con alborozo: todo nos va a estar ya permitido, dejemos de lado la idea de Dios, ni la discutamos siquiera; la consecuencia de esa teoría nos la muestra la evolución de su propio pensamiento: el prójimo es un «infierno», la vida «una pasión inútil» y la muerte el colmo de la desgracia tras una vida de desgracias; la muerte de Dios, como ya había anunciado la Biblia, es la antesala de la muerte del hombre.

El ateísmo actual

Hemos visto ya la estrecha relación histórica que existe entre la religión y la especie humana. Hemos visto también cómo esta relación se ha puesto en entredicho de forma especial en los últimos siglos, en un proceso que empezó en el Renacimiento y que desembocó en la acción de los llamados «padres de la sospecha». Pero también hemos podido comprobar que las causas alegadas para afirmar que Dios no existe, es decir, para proclamar lo que Nietzsche llamo «la muerte de Dios», son más bien volitivas que argumentales. Se desea que Dios no exista y, aunque no se pueda demostrar su no existencia con razones lógicas, se le ataca considerando su existencia como un gran mal para la sociedad y para el individuo; así han actuado, por lo menos, los grandes filósofos y pensadores antes estudiados, cuya influencia en la sociedad actual es enorme, aunque los que viven bajo esa influencia no sean conscientes de ello.

Pero si el ateísmo de antes era de tipo militante, en nombre del progreso, el humanismo o la libertad, el hombre de hoy, por el contrario, ya no tiene banderas ni ideales, por lo que parece no tener fuerza ni para ser ateo y negar la existencia de Dios. El ateísmo de hoy es, pues, de otro rango, menos agresivo que el de sus predecesores, más indiferente y, quizá por eso, más peligroso. El ateísmo de hoy es lo que se viene llamando con el apelativo de *agnosticismo*: ni se niega ni se afirma, simplemente, como decía Sartre, se prescinde de la idea de Dios, se «pasa» del tema.

Por otro lado, está el mundo de los creyentes, pero en este sector, como detectan algunos estudiosos del hecho religioso, se ha abandonado el tomismo, se ha abandonado la búsqueda intelectual de razones que demuestren la existencia de Dios, o por lo menos la credibilidad y compatibilidad de esa existencia con la razón humana. Se ha pasado así a considerar el problema de Dios dentro de los esquemas del subjetivismo, del puro sentimentalismo: «siento» a Dios, luego soy creyente -después veremos qué tipo de creyente es ese-; «no siento» a Dios, no tengo «necesidad» corporal o emocional de Él, luego prescindo incluso de plantearme la cuestión de si existe o no.

Por suerte, en el momento presente hay un sector del pensamiento que está volviendo a plantearse el problema de Dios. Es el mundo de la ciencia -antaño enemiga de la fe-, el que está interrogándose con más frecuencia e intensidad sobre los porqués y las causas del origen del Universo. Son ellos, los científicos, los que postulan hoy la necesidad de la existencia de Dios, y lo hacen desde el abismo que se les abre ante los ojos cuando exploran el firmamento con sus potentes telescopios o cuando escudriñan el misterio de las células con los microscopios electrónicos; es demasiado complejo lo que se ve para creer en que todo es fruto de la casualidad; han pasado pocos millones de años desde que el mundo existe y desde que la vida empezó a surgir en la tierra para que, mediante el azar, las cosas hayan evolucionado como lo han hecho, hasta llegar a la perfección maravillosa que hoy muestra la vida o hasta la grandeza casi infinita de los espacios siderales. Por eso, son muchos hoy los que afirman que hay que tener más «fe» (en el sentido de aceptar algo sin tener pruebas suficientes de ello) para creer que todo es fruto de la casualidad que para creer en la existencia de un Dios creador de todo cuanto existe.

Por otro lado, y también afortunadamente para el mundo de la fe, los hombres, torpes o listos, superhombres triunfadores o miserables aplastados por la prepotencia ajena, siguen teniendo alegrías y tristezas, siguen naciendo y siguen muriendo, siguen enfermando, amando, llorando y riendo. Y todo eso lleva a muchos, aunque por desgracia no a todos, a preguntarse por los porqués de la vida y de la muerte, preguntas que en el fondo no son tan distintas a las que se hicieron sus predecesores, aquellos hombres que vivían en cavernas, que pintaban bisontes en las paredes y que enterraban con cuidado a sus muertos porque creían que iban a un viaje definitivo en el que estrenarían una nueva vida.

Volviendo al tema del ateísmo actual, al agnosticismo, debemos considerarlo como un ateísmo práctico más que filosófico, más cómodo y más hipócrita que el de antaño; un ateísmo que ni afirma ni se atreve a negar y que, quizá por eso, tenga tanto éxito en un momento de pensamiento débil, de pasotismo y materialismo como es el actual. No se trata ya, como en la época de la Ilustración o el Modernismo, de un fenómeno de minorías intelectuales y excéntricas, sino de una ley que regula toda nuestra sociedad y que ha hecho de la fe una superestructura anómala, algo original y extraño que hace del que la posee y pretende regirse por ella un bicho raro, casi alguien de otro planeta. Este tipo de ateísmo invade todas las manifestaciones de la vida, pues no solo hay un arte sin Dios o una política sin Dios, sino también un estilo de relaciones familiares y amistosas en las que Dios no entra para nada.

Juan de Sahagún Lucas, uno de los grandes teólogos españoles actuales, en su obra *Dios. Horizonte del hombre* cifra en tres las características del ateísmo contemporáneo: contrariedad, contradicción y privación. «Contrariedad -dice Sahagún-, porque excluye tajantemente la postura contraria, la afirmación de la trascendencia. Contradicción, porque se asienta en la pacífica neutralidad sin afirmar ni negar a Dios, sino pasando del problema de su existencia, ya que, si Dios existiese no cambiaría nada. Privación, porque ha cambiado el sentido de la antropología, ya que en otro tiempo se consideraba al ateo privado del verdadero bien (Dios), mientras que hoy es el creyente el que aparece desprovisto de su bien; es decir, de su independencia y autonomía. El hombre "con Dios" es un ser alienado por su creencia.»

En resumen, el ateísmo actual, que tiene las características antes descritas, se muestra, en la mayoría de los casos, con el rostro de la indiferencia hacia la cuestión de la existencia o no de Dios, mientras que en otros casos -los menos- se sigue sosteniendo y defendiendo la opción atea en aras de unos derechos humanos que le estarían siendo mermados al hombre por la creencia en un Ser superior a él mismo. Para estos, la religión queda diluida en el culto al hombre ideal, mientras que, para aquellos, ya no es nada porque ni produce económicamente nada ni sirve para aumentar los goces corporales o materiales, que es lo único que interesa.

¿POR QUÉ LA PREGUNTA SOBRE DIOS?

Sería erróneo concluir de lo anterior que el sentimiento religioso está desapareciendo. Cierto que el ateísmo, vestido con el ropaje más discreto del agnosticismo, hace estragos, pero cierto también que precisamente por eso son muchos los hombres y mujeres que buscan algo que dé sentido a sus vidas, defraudados de las promesas incumplidas de felicidad de un estilo de vida que lo fundamenta todo en el goce material. Ahí están, por ejemplo, las sectas y su considerable éxito, o la difusión notable de las antiguas religiones asiáticas en los países occidentales, o la militancia agresiva de cierto tipo de islamismo. No, la religión, en sus múltiples formas, no ha muerto; más bien está reaccionando al formidable ataque que ha recibido durante los últimos siglos, con una reacción tan dispar como diverso es su origen y el talante espiritual de aquel que haya puesto en marcha el movimiento de reacción.

Por eso, antes de entrar de lleno en discernir qué ventajas representa para el hombre corriente el hecho de tener fe en un ser superior al que llama Dios, conviene investigar en los motivos por los que esa pregunta, la pregunta sobre Dios, sigue estando de actualidad e interesando a tantas personas a pesar de los durísimos ataques recibidos. Algo tendrá el tema cuando después de haber dicho de él que es alienante, drogadicto, represor y tantas otras «lindezas», aún sigue fascinando a millones de personas en el mundo. Ese «algo» conviene delimitarlo, porque si el lector se siente identificado con alguno de esos motivos, quizá entienda que le conviene profundizar en el asunto, ya que en las respuestas que siguen a esas preguntas puede hallar las soluciones que él está buscando a su caso personal.

La pregunta sobre Dios sigue interesando a los hombres, en primer lugar, por la perenne presencia en su interior de un sentimiento de felicidad frustrada; en el ser humano hay un ansia de felicidad que podríamos llamar «infinita» y que este cree que satisfará cuando consiga determinadas metas: un coche mejor, una casa mejor, una segunda casa en el campo o en la playa, unas estupendas vacaciones todos los años, un buen saldo económico en el banco, un empleo gratificante, etc. Sin embargo, una vez alcanzadas esas metas, el hombre suele descubrir que no le satisfacen tanto como él había creído, que no le llenan del todo. El hombre experimenta así la «finitud», la limitación, la ausencia de una felicidad plena. Generalmente, esto le lleva a empezar de nuevo, a situar las metas de su felicidad en un nuevo sueño material más difícil de alcanzar. Lo normal es que la vida se pase yendo de «sueño» en «sueño», de ilusión en ilusión, y siempre con el mismo resultado: descubrir que lo anhelado no da para tanto y que no se encuentra lo que se buscaba en la meta que con tanto ahínco se persiguió. Recuerda esta situación al diálogo entre el zorro y el principito en la obra de Saint-Exupéry, cuando hablan de las innumerables rosas que hay en los jardines de los humanos; lo que buscan, dice el protagonista de la obra, lo podrían encontrar los hombres en una sola rosa y si no lo encuentran en una, no lo encontrarán tampoco en millones de ellas. Este ir y venir en busca de la felicidad provoca en el ser humano una continua tensión; el hombre parece condenado a no descansar nunca, pues apenas llega a la meta que se había fijado comprende que no era ese su objetivo y tiene que ponerse de nuevo en marcha. Es como si el hombre moderno, el hombre vacío, el hombre sin Dios, estuviera condenado a ser más feliz por lo que desea que por lo que posee, pues solo se siente ilusionado cuando lucha por algo, mientras que cuando triunfa se siente defraudado e inquieto. Y hablando de inquietud, ¿cómo no recordar aquellas palabras de San Agustín, el santo africano que, como los hombres modernos, buscó la felicidad en las cosas y no la encontró hasta que no se zambulló en Dios?: «Dios nos hizo para Él, y nuestro corazón estará inquieto hasta que descanse en Él».

Esta es, pues, la primera causa por la que, a pesar de todos los ataques dirigidos contra la religión, son muchos los hombres -que siguen preguntándose por Dios: la sensación de que las cosas no dan tanto como se esperaba de ellas, y que la felicidad que se experimenta es siempre parcial, limitada, tremendamente precaria y frágil, incapaz de saciar el ansia de plenitud que reside en el corazón humano.

El segundo motivo, según los estudiosos del tema, está en el incumplimiento de los mejores sueños de los hombres, de esos «ideales de juventud» que no se ejecutan debido a los agobios de la vida y que van postergándose hasta que quedan reducidos a recuerdos del pasado que hacen sonreír al hombre adulto cuando piensa en ellos. Poco a poco la vida te fuerza a replegarte sobre ti mismo y vas renunciando a tus ideales para conseguir cuotas de pequeña felicidad material.

Por si fuera poco, como en esas «satisfacciones» materiales tampoco se halla lo que se busca, en lugar de reflexionar y volver a empezar, se entra en un círculo vicioso: hay que trabajar más para tener más y poder gastar más, porque en el consumir se supone que está la felicidad; pero para trabajar más hay que dedicar más tiempo al trabajo, a la vez que para ganar más con frecuencia se tienen que dejar de lado los molestos escrúpulos éticos; así, no solo se tiene menos tiempo para disfrutar de las casas maravillosas que se ganan trabajando, sino que crece el runruneo interno de protesta por las continuas traiciones a los principios morales que un día se tuvieron.

Aunque no se note, aunque te digas a ti mismo que eso es lo normal y que a los veinte años hay que ser idealista para ser a los cuarenta prosaico, en el fondo queda anclada una frustración y un desengaño, un vacío vital y una insatisfacción con respecto a ti mismo. Para llenar ese vacío se recurre, como se ha dicho antes, a la satisfacción inmediata de otro tipo de necesidades que han ido apareciendo y que son de rango material, pero estas no dan de sí jamás todo lo que se espera de ellas, por lo que en lugar de sustituir con éxito a los ideales de juventud lo que hacen es ampliar el hueco del vacío en el corazón humano, con el agravante de que crece la sensación de estar atrapado en un camino sin retorno, en un callejón sin salida: ni se tienen fuerzas para volver atrás y luchar por las causas nobles en las que un día se creyó, ni se experimenta la felicidad en las cotas de éxito que se van alcanzando al precio de renunciar a esos nobles ideales.

Por lo general, el hombre se defiende de todo esto como el calamar de sus enemigos: echando tinta mientras huye. El hombre, aunque percibe en su interior la verdad de esta frustración, se niega a reconocerlo y acusa a la Iglesia de ser la responsable de su sensibilidad de conciencia, de no dejarle dormir en paz en un mundo de satisfacciones animales; muchos de los ataques contra la Iglesia van a tener precisamente esta causa, la de que la Iglesia se sigue presentando como una voz insobornable que despierta en la conciencia del individuo ecos de honradez y generosidad que él quisiera ver apagados para siempre. De ahí que el único camino que le quede al hombre sea el de no pensar, el de alienarse en el goce de lo inmediato y renunciar a lo que es típica y específicamente humano: la razón enfocada hacia las grandes metas, hacia los nobles ideales. Pero ni siquiera ahí, en esa huida hacia la animalidad y la instintividad, encuentra el hombre la paz que busca.

El hombre puede huir de todo menos de sí mismo y también el no pensar, el no querer ser un ser humano, tiene un elevado precio. Ese precio, según los psicólogos, es el estrés, pues para ayudarse en la tarea de no pensar el hombre renuncia a tener tiempo libre, se sumerge en el activismo e intenta llenar su vida con cosas, con movimiento, con ruido, con ausencia de paz.

Tiene mucha razón el filósofo Frankl, judío y vienés como Freud, que afirma que la dimensión más profunda del hombre no es el sexo, como pensaba su colega, sino la trascendencia, ya que el hombre necesita una razón para vivir, para sufrir, para dar lo mejor de sí mismo e incluso para morir. Sin sexo se puede pasar, pero sin motivos para vivir no. Cuando el hombre carece de esa razón, enferma. Y enferma con la enfermedad más característica de nuestra época: la angustia, el estrés, la falta de felicidad en personas que objetivamente tienen todo lo que se puede necesitar en el orden material para ser felices.

El tercer interrogante que, le guste o no, fuerza al hombre a plantearse la cuestión sobre Dios y el destino último de su existencia, es el problema del mal y su frecuente triunfo sobre el bien. Esta es una cuestión con doble filo, pues por un lado hace dudar al creyente de la existencia de un Dios creador y bondadoso, a la vez que fuerza a ateos y creyentes a plantearse la pregunta de cuál es el origen de ese mal, pues, si procede solo de las inmutables leyes físicas que gobiernan la naturaleza, el panorama se hace tan sombrío que con razón se puede decir con Sartre que la vida es un infierno. Por lo demás, ya Boecio intuyó y describió el doble filo de la cuestión, cuando dijo que «Si hay un Dios, ¿de dónde proceden los males? Y si no existe, ¿de dónde se originan los bienes?»

Si dudamos de la existencia de Dios ante el hecho del mal que sufren los inocentes, cómo no dudar de la inexistencia de ese Dios al comprobar que en muchas otras ocasiones triunfa la justicia y el bien recibe su merecido.

Por desgracia, la existencia del mal en el mundo es un asunto que cuestiona y hace pensar solo a las minorías. Los más, aunque se sientan incómodos por las catástrofes que de tanto en tanto ensangrientan naciones enteras, no se elevan desde ellas a preguntas que inquieran el por qué esas cosas ocurren y quién puede estar detrás de todas ellas. En cambio, todos, absolutamente todos, ricos y pobres, generosos y egoístas, idealistas o rampantes, se enfrentan con una cuestión fundamental, que les sitúa cara a cara delante de las preguntas últimas. Esa cuestión ineludible es la muerte.

El hombre no puede resignarse al hecho de morir, por más que, como hemos visto, algunos filósofos traten de quitarle hierro al asunto y aconsejen afrontar la cuestión con la misma frialdad con que se acepta la pérdida de las hojas de los árboles en las estaciones o alegrándose incluso porque sigue quedando en pie una porción considerable de humanidad. El hombre, el individuo, no se resigna a la muerte, ni siquiera en aquellos casos en los que la desea y la reclama, porque la vida se ha convertido para él en un infierno. La muerte es el final, un final que aplasta y entierra su sed permanente de felicidad.

El pensador francés Albert Camus describe en *El mito de Sísifo* al hombre como un ser condenado a realizar en su vida un esfuerzo tan grande como inútil y por eso dice que «solo hay un problema filosófico verdaderamente importante, el suicidio. Juzgar si la vida vale o no la pena de ser vivida, es responder a la cuestión fundamental de la filosofía». Y es que la muerte, desde el ateísmo, se convierte en un final sin más allá, sin respuesta a los traumas y heridas que la vida ha ido abriendo en la carne. Hay respuestas de todo tipo, ciertamente, pero para la mayoría, ese horizonte truncado es el colmo de la angustia a que se refería el filósofo Frankl, porque el colmo de la sinrazón y del absurdo es que después de haber llevado una vida repleta de sinsabores todo termine en la nada y no exista un «alguien» que restablezca la justicia y vende y sane las heridas.

Y es que, desde que el hombre empezó a existir como tal, sigue siendo verdad, según Alexis Carrel, que «la inmortalidad o persistencia de la personalidad es una necesidad del ser humano, como lo es la necesidad de libertad, de amor y de belleza».

Quisiera terminar este capítulo, en el que se ha pasado revista no solo a los tremendos ataques dirigidos contra el sentimiento religioso por los más conocidos filósofos contemporáneos, sino también a la perseverancia y motivación de ese mismo sentimiento, a pesar de las críticas recibidas, con dos pensamientos de sendos grandes maestros.

Tocqueville, el historiador, concluye sus reflexiones sobre la evolución del ser humano afirmando que «la falta de religión es un accidente. La fe es el estado permanente de la humanidad». Tolstoi, el escritor ruso, añade: «El hombre puede ignorar tener una religión, como puede ignorar tener un corazón, pero sin religión, como sin corazón, no se puede existir».

Me conformo, pues, con que en este primer capítulo, y a pesar de la presentación de los argumentos con que se ha denigrado no solo a la religión, sino al hombre creyente, mis lectores se encuentren en una situación de empate. Un empate entre los pro y los contra, pues si hay gente seria e influyente que considera la fe como algo del pasado y muerto a Dios, la intuición religiosa merece un respeto y no puede ser enterrada tan fácilmente; ese respeto es de justicia darlo, al menos en aras de la seriedad con que deben tratarse elementos que estuvieron presentes desde el principio del origen del hombre y que aun hoy siguen aportando respuestas válidas y satisfactorias a esas preguntas fundamentales que siguen planteándosele al individuo: las preguntas sobre la felicidad, sobre el abandono de los más nobles ideales, sobre el origen del mal y sobre la muerte.

Demostrar que las respuestas que nacen desde la fe son no solo más útiles, sino también más racionales y por tanto más humanas, será el objetivo de las páginas siguientes. Y demostrar que en Cristo ha llegado a la plenitud el sentimiento religioso y que las preguntas de creyentes y no creyentes hallan en el hijo de María de Nazaret las mejores respuestas, constituirá la última parte de esta obra.

CAPÍTULO II. EL DEBATE DESDE LA RAZÓN, ¿CEGUERA DE LA FE?

«El archidiácono miró durante un rato en silencio el gigantesco edificio, después, suspirando, extendió su mano hacia el libro impreso que estaba abierto en su mesa y su otra mano la dirigió hacia Notre Dame, y, mirando tristemente del libro a la iglesia dijo: "Este matará a aquella".» Así describe Víctor Hugo, en su magnífica obra *Nuestra Señora de Paris*, la lucha feroz que se libraba en el siglo XIX entre la fe y la increencia, con el resultado que ya entonces se preveía: la luz de la razón iluminará las cavernas oscuras en las que prospera la fe y esta desaparecerá. Era, en aquel momento, una lucha planteada entre la superstición y la razón, entre la ignorancia y la ciencia. Era, como se creía entonces, una lucha que no tardaría en decantarse del lado de la inteligencia, de la instrucción, de la ciencia.

Dios, en la época de Víctor Hugo, no había «muerto» todavía, como después dirá Nietzsche, pero se encontraba ya malherido. Lo mismo parece pensar otro notable escritor francés, André Gide, que a caballo entre el siglo XIX y el XX (1869-1951) contempla desde su horizonte materialista y sensualista la lucha citada y anima a los no creyentes a conseguir la victoria: «Camarada, no creas en nada, no aceptes nada sin pruebas. Nunca ha probado nada la sangre de los mártires. Por muy absurda que haya sido, toda religión ha tenido sus seguidores y ha suscitado convicciones ardientes. Es en el nombre de la fe que se mata. El hambre de saber nace de la duda. Deja de creer e instrúyete. Solo se intenta imponer cuando faltan pruebas. No te dejes engañar. No te dejes someter». («Los nuevos alimentos.»)

«Deja de creer e instrúyete.» Ese fue el lema del siglo XIX y de buena parte de este ya agónico siglo XX. La fe como enfrentada a la razón y a punto de ser desbancada por esta. El dilema era, naturalmente, falso, pero tuvo éxito porque supo ser presentado de manera sugestiva. Su falsedad radica en lo que el mismo Gide, en su obra *Los alimentos terrestres*, deja entrever, que en muchos casos el odio contra la religión se camufla de ataque racional cuando en realidad tiene un origen visceral, el deseo de que la idea de Dios desaparezca porque molesta la presencia de un Dios que no te deja hacer lo que quieres y que te fastidia con su firme concepción del bien y del mal: «Mandamientos de Dios -escribe el escritor francés-, habéis enfermado mi alma, habéis rodeado de murallas las aguas que yo necesitaba para saciar mi fe». Y es que buena parte de los ataques proceden de problemas personales -Gide era homosexual- que, al no poder aflorar abiertamente como tales, lo hacen en forma de argumentaciones racionales sobre la no existencia de Dios o sobre la conveniencia de que ese Dios no exista.

Después, para dar más fuerzas a los argumentos, se buscan «casos» que justifiquen esa pretendida oposición radical entre fe y razón, entre creencia en Dios y conocimiento científico. El «caso Galileo» ha dado tantas vueltas que en realidad muchos de los que lo esgrimen no saben exactamente lo que pasó ni los porqués que pudo tener la Iglesia de su tiempo para hacer lo que hizo. Importa solo presentar «mártires» laicos, mártires de ese conflicto a muerte entre ciencia y fe, entre razón e ignorancia.

No vamos a afrontar en este capítulo ni en este libro el corazón teórico de la batalla: el de los argumentos racionales que justifican la existencia de Dios. Las obras de Santo Tomás de Aquino, sus famosas «vías», adaptadas y aumentadas par tantos pensadores católicos, siguen teniendo validez. Pero no es ese el objetivo de este libro, sino el de demostrarle al ateo de hoy, que es un hombre más «práctico» que «racional», por qué la increencia es poco inteligente y más bien inútil.

Trataremos, pues, en este capítulo, de hablar de las «Ventajas» e «inconvenientes» que el ateísmo o la fe aportan al hombre, con el ánimo de que a la vista de ella se obre en consecuencia. Lo haremos con los argumentos más fríos e imparciales, no dirigidos a demostrar racionalmente la existencia de Dios, sino más bien a demostrar que a pesar de lo que digan los enemigos de la fe, esta no solo no esta reñida con la razón, sino que es la decisión más inteligente que el hombre puede adoptar, para sí mismo y para los que le rodean y con los que convive.

VENTAJAS E INCONVENIENTES DE LA INCREENCIA

Supongamos que un buen hombre afronta, en un determinado momento de su vida, quizá en su juventud y coincidiendo con la entrada en la universidad, con la seriedad que merece el asunto, la cuestión de la existencia o no existencia de Dios. Lee, por ejemplo, a Bertrand Russell en su *Por qué no soy Cristiano* o a cualquier otro de los anteriormente citados «padres de la sospecha». Al fin, convencido de buena fe de que la fe en Dios es una cosa del pasado, opta por el ateísmo abierto o por ese otro ateísmo práctico, el agnosticismo, preconizado por Sartre y que consiste en vivir como si Dios no existiera.

Este joven amigo, probablemente de familia creyente, afronta la vida cargado con un equipaje educativo y moral que ha recibido en su hogar cristiano o en los colegios donde estudió sus primeros años. Ha rechazado la fe, pero no puede desprenderse de muchas de las consecuencias de esa misma fe, especialmente de aquellas de origen moral que le llevan instintivamente a repudiar ciertas cosas como malas y a sentirse atraído por otras a las que considera buenas; quizá piense que estos nobles sentimientos se deben a su naturaleza humana, pero si tuviera ocasión de viajar por naciones que no tienen sus raíces culturales cristianas vería como allí los criterios del bien y del mal son menos exigentes, aunque no por eso sean inexistentes.

El caso es que para este muchacho la vida se le presenta como un ancho prado sin barreras que tenga que saltar y que coarten su libertad. Es él quien va a decidir lo que es bueno y lo que es malo, adaptando la educación recibida a las nuevas circunstancias que irán haciéndose presentes en su existencia, tanto a las de índole personal como a los criterios y valores que recibe de la sociedad en la que vive.

Las ventajas de su increencia están a la vista: nadie externo a él le dice lo que es bueno y lo que es malo, lo que puede o no hacer. Su única limitación es la que le viene impuesta por la ley civil y penal, que marca unos mínimos tan bajos que difícilmente una persona normal y honrada los traspasará. Tenemos, por tanto, ante la vista a un hombre libre, a un hombre que no se somete a nadie a la hora de decidir qué criterios van a determinar su comportamiento. Así, por ejemplo, cuando se le ofrezca la ocasión de tener relaciones prematrimoniales, será él –o ella- quien decida si eso debe hacerlo o no; lo mismo si le apetece mantener relaciones con personas de su mismo sexo, o si, una vez casado, cree conveniente completar las relaciones conyugales con otras fuera del ámbito de la pareja.

Lo mismo podríamos decir de otros aspectos de la vida, como el económico: no escuchará más que la voz que habla en su interior para saber si ha de pagar o no los impuestos legítimos, si tiene que ayudar o no a algún extraño que se le acerca pidiendo ayuda, si rechaza o acepta una buena ocasión de enriquecerse rápidamente mediante la participación en alguna corruptela. Si, Dios no lo quiera, en alguna ocasión algo se tuerce y aparecen dificultades en su camino, tampoco escuchará a nadie fuera de él mismo para decidir qué debe hacer ante esos problemas: así, será él -o ella- quien decida si se debe abortar cuando ha fallado el método artificial de control de la natalidad que ha estado utilizando; si un familiar, quizá su padre o su madre ancianos, se convierte en una carga molesta, será también una cuestión suya, en la que nadie deberá entrar, decidir si se hace cargo de él o le abandona en algún centro de acogida publico o privado; llegado el caso, Dios tampoco lo quiera, decidirá por sí mismo si priva a su padre anciano y enfermo de la vida reclamando para él el ejercicio de la eutanasia, o si, por el contrario, y al margen de lo que opine el ya clemente abuelo le permite seguir viviendo; incluso para él mismo, llegado el momento, podrá optar sin más referencias que las de su exclusiva opinión a continuar con vida o a acogerse a los generosos planes que los Gobiernos de turno habrán puesto al alcance de los que ya no son productivos para que se priven voluntariamente de la vida.

Este es el hombre absolutamente libre que, vencidas las tinieblas medievales de la ignorancia, afronta la vida y la muerte, las alegrías y las penas sin más bagaje para ello que su propia decisión. Estas son todas sus ventajas: no debe obediencia a nadie, puede hacer lo que quiera con su vida y no tiene por qué sentir el incómodo runrunear de la conciencia cuando haya transgredido algún precepto de esos que los creyentes se ven obligados a cumplir. Es, pues, *a priori*, una persona que tiene muchas más posibilidades que las demás de ser feliz, porque su libertad es tan absoluta que a nadie se somete y a nadie tiene que rendir cuentas de sus actos.

En realidad, este hombre no existe. El buen salvaje, aquel hombre incontaminado que preconizó Rousseau y que noveló Rudyard Kipling, jamás ha existido. Como se ha dicho, arranca ya en la vida, lo quiera o no, con un bagaje cultural y moral que procede de la familia en la que ha nacido; pero es que luego, continuamente, va a estar siendo bombardeado por mil presiones y argumentos que, lo quiera o no, van a conformar su conciencia y su opinión. No hace falta que en una sociedad se practiquen los métodos preconizados por el nazi Goebbels -una mentira repetida mil veces termina por convertirse en verdad- para que la opinión pública sea llevada de un lado a otro por las mil maneras que tienen de actuar los creadores de esa misma opinión publica. La publicación de las encuestas va a ser, por ejemplo, el nuevo «dios» en el que nuestro amigo beba con frecuencia para ir formando sus criterios; así, si en un momento dado las encuestas sitúan a tal partido político como «demoniaco», probablemente se sentirá inclinado a aceptarlo como tal, mientras que cambiará de opinión si, pasado un tiempo, hablan de él con enormes elogios; lo mismo sucederá con los valores morales, tanto sobre los que rigen el ámbito económico como los del sexo o la familia.

En definitiva, el hombre absolutamente libre, el hombre que no tiene que rendir cuentas a ningún Dios de lo que hace con su vida, no existe; no se somete a lo que diga ese Dios ni tampoco sus representantes, pero está siendo manipulado aún sin saberlo por otros «señores», tanto más cuanto que en su interior no hay unos principios firmes e inmutables que le lleven a enfrentarse con lo que marcan las modas.

Pero, sea como sea, nuestro amigo vive con su relativa libertad y hace el bien que considera que debe hacer. Y nada más. Cuando tropieza con sus límites -su carácter endiablado, su pereza, su lujuria, su envidia, su rencor, su egoísmo- intenta superarlos hasta cierto punto y luego se instala en ellos como en algo natural. ¿Por qué va a tener él que ayudar a ese vecino que fue maleducado y grosero con su familia el otro día? ¿Qué tiene que ver con su vida esa persona que está en el paro? ¿Por qué ha de decir la verdad en esa ocasión arriesgada, si puede escurrir el bulto y dejar que las consecuencias de sus errores recaigan en otro? Como no tiene conciencia de pecado ni tiene a nadie a quien dar cuentas, actuará siempre de acuerdo con la moral que él mismo se imponga y no con ninguna otra y, por desgracia para el género humano, el hombre tiende a justificar sus actos y a encontrar excusas para sus defectos, haciéndose una vara de medir a su medida y una moral adecuada a sus necesidades, de modo que no le haga la vida insufrible y justifique con relativa facilidad aquellos defectos en los que se suele reincidir.

Por supuesto que esta manera de obrar tiene consecuencias. No significa que este hombre no quiera luchar por mejorar, que no comprenda que hay cosas objetivamente malas y que él a veces las comete; este hombre ateo y libre de toda pleitesía a ningún Dios es, según la hipótesis de partida, un hombre bueno, no un malhechor o un personaje vulgar que casi no tiene principios morales. Pero es que incluso ese hombre bueno por naturaleza, esa alhaja poco frecuente, también tiene sus defectos y cuando se enfrenta a ellos unas veces cae derrotado y otras vence, como por lo demás le sucede al creyente; pero, al contrario que a este, no tiene a nadie que le recrimine ni tampoco que le estimule; no tiene absolutamente a nadie, ni tan siquiera para molestarle; está solo. Por eso, de forma inevitable y con el paso de los años, además de por la influencia relajante que ha heredado de la sociedad, este buen hombre va a ir haciéndose una moral a su medida, una moral que no sea demasiado severa con sus errores, una moral que, por ejemplo, justifique sus devaneos sexuales o sus trampas fiscales o sus frecuentes mentiras. Otras cosas son peor, se dirá para justificarse, y lentamente dejará de luchar y se abandonará a su instinto, al menos mientras este no le lleve a enfrentarse con esas leyes civiles que van unidas a castigos penales.

Las consecuencias, como he dicho, no tardan en aparecer. Posiblemente, este tipo de persona, sin voz externa autorizada que le estimule, terminará por decir aquello tan típico de «Yo soy así, el que me quiera que me coja y el que no que me deje». Esta sandez es tan frecuente que su reiteración da miedo. Aunque no se pronuncie, se practica. Y claro, el otro, el compañero, el vecino, el amigo, la esposa, el esposo, el hijo o la hija, terminan por marcharse si pueden hacerlo o por soportar de mala gana a este individuo que, teniendo tantas buenas cualidades, se ha abandonado en sus defectos en lugar de luchar con insistencia contra ellos para evitar que crecieran imparablemente.

Por si fuera poco, nuestro amigo tiene que morir un determinado día. De eso no se salva nadie, ni ateos ni creyentes, ni buenos ni malos. Llegado ese momento, nuestro «hombre relativamente libre» se enfrenta aún más solo que antes a un reto, el de la incógnita del mas allá. Dado que la existencia de Dios es independiente de que nosotros admitamos o rechacemos esa existencia, supongamos que Dios es una quimera, una invención humana para justificar el deseo de matar al padre como decía Freud o para mantener sojuzgados a los pobres como pretendía Marx. Nuestro amigo ateo se muere y resulta que tiene razón: Dios no existe. Lástima por él, porque no podrá vivir para disfrutarlo. Si Dios no existe, su muerte es el final, el absoluto final. No tendrá el ateo de nuestra historia ni tan siquiera ocasión de tener un pensamiento de regocijo que le premie por haber mantenido durante tantos años la opinión acertada. Dios no existe y, con la muerte, él tampoco. Todo se acabó y lo único que ha sacado nuestro personaje es lo que se llevo en vida: que nadie le diera la lata con morales incordiantes y que nadie le pusiese limitaciones a sus deseos. Esas son sus ventajas, mientras sus inconvenientes residen en que estuvo siempre íntimamente solo a la hora de luchar contra sus defectos, así como a la hora de compartir sus penas y sus alegrías, y esa soledad era más solemne a la hora de afrontar la última partida de la vida, la de la muerte.

Pero es que hemos dado por supuesto que Dios no existe. ¿Qué ocurrirá, si, por el contrario, existe ese Dios en el que nuestro amigo no creyó nunca? Como he partido de la buena fe de la persona, de su honradez a la hora de tomar una decisión y de que su ateísmo o su agnosticismo no estuvieron motivados por decisiones superficiales o egoístas, sino por una argumentación bien trabada y meditada, es probable que Dios Nuestro Señor le abra los brazos y le diga a nuestro buen ateo: «Ven, pasa tú también al banquete de tu Señor, porque has hecho lo que en conciencia creías más justo; nunca has obrado en contra de esa conciencia y yo te invito a que goces de mi Paraíso para siempre porque la sangre derramada por mi Hijo también a ti te ha ganado el perdón de tus pecados».

Estoy seguro de que en ese momento nuestro buen y simpático ateo se sentirá morir de pura vergüenza. Estoy seguro de que dirá algo parecido a esto: «¡De modo que era verdad lo que decían los curas! ¡De forma que Dios sí existía y yo he estado toda la vida haciendo el imbécil y renegando de Él, rechazándolo y viviendo al margen de su sabiduría y sus enseñanzas! ¡Me he pasado la vida solo cuando Él estaba a mi lado para ayudarme a llevar mis amarguras y para compartir conmigo mis buenos momentos! Y ahora, por si fuera poco, este Dios es tan bueno que no solo no me mete en el fuego del infierno, sino que me invita a que esté a su lado para siempre.»

Si en el cielo hay algún árbol fornido, es posible que el buen ateo lo busque para darse cabezazos contra él por lo absurdamente tonto que ha sido, por lo empecinadamente cabezón y por la soberbia con que se ha comportado, al creer que no existía lo que su pequeña inteligencia no pudiera demostrar. Y así podría pasarse una eternidad, meditando aquellas palabras tan sensatas de Jaime Balmes que debería haber escuchado antes: «Me convencí de que dudar de todo es carecer de lo más preciso de la razón humana, que es el sentido común». O aquellas otras de Rabindranath Tagore: «Un entendimiento todo lógica es como un cuchillo sin hoja, que hiere la mano de su dueño».

Ventajas e inconvenientes de la fe

Dejemos a nuestro amigo sumido en una eternidad de vergüenza de la que solo le extraerá la misericordia de Dios, o, lo que es aún peor, desaparecido para siempre en las sombras de la nada. Vayamos a contemplar la suerte corrida por un hermano suyo. De parecida familia, del mismo país, del mismo colegio, este muchacho, bueno también, sufre los ataques de la increencia como su amigo. Quizá sea la entrada en la universidad, quizá el asalto de los impuestos del cuerpo, quizá ciertas lecturas o el contacto con un ambiente que considera progresista la falta de fe y conservador mantenerla; el caso es que nuestro nuevo amigo se ve luchando para seguir creyendo en la fe de sus padres. A veces se queda sin argumentos ante sus adversarios, los compañeros de pandilla o los mismos profesores, pero una vocecita le dice lo contrario que al anterior le sugerían Gide y su cuadrilla. No se trata ahora de reivindicar una libertad absoluta, sino de tener sentido común; sin saber que es de Balmes, oye en su interior la frase que el otro, el ateo, deberá meditar durante siglos eternos, o aquella otra de Pascal: «El último paso de la razón es reconocer que existe una infinidad de cosas que le son inaccesibles».

Así, en esta lucha, nuestro joven amigo empieza a vivir su propia vida. Como es creyente y no ateo práctico, acude a la iglesia -puesto que suponemos que se trata de alguien de nuestra patria- y participa con cierta asiduidad en los sacramentos. Es posible que falle más de un domingo a misa y es también probable que se aburra cuando va. Pero, con todo, la vocecita interior le dice que Dios existe y, mejor o peor, intenta vivir en consecuencia.

Uno de los días que ha ido al templo ha oído, quizá, a un predicador notable, a alguien que le aburre menos. Es posible que de él haya escuchado algo parecido a esto que escribió Chiara Lubich en su libro *Meditaciones* y que resume el mensaje moral del cristianismo: «Si tú fueras estudiante y por casualidad llegaras a saber las preguntas del examen final de curso, te tendrías por muy afortunado y estudiarías a fondo las respuestas. La vida es una prueba y al final de ella también hay que superar un examen. Pero el amor infinito de Dios ya le ha hecho saber al hombre cuáles serán las preguntas: «Tuve hambre y me diste de comer; tuve sed y me diste de beber». Cualquiera que sea vuestra vocación, de padres o de madres, de campesinos o empleados, de diputados o jefes de Estado, de estudiantes u obreros, durante el día tenemos continuamente ocasión directa o indirecta de dar de comer a los hambrientos, de instruir a los ignorantes, de soportar a las personas molestas, de aconsejar a los que tienen dudas, de rezar por los vivos y por los muertos. Una nueva intención a cada acción en favor del prójimo, cualquier prójimo, y cada día de la vida servirá de preparación para el día eterno, acumulando bienes que la carcoma no corroe».

Tras este sermón nuestro amigo se vuelve a su casa. Va impresionado. Quizá se encontraba en un momento decisivo en su maduración espiritual. Quizá los impuestos del cuerpo ya habían remitido algo su ferocidad. Quizá había visto alguna escena en la televisión que había despertado una fibra noble algo dormida en su conciencia. El caso es que nuestro amigo empieza a tomarse más en serio la religión y la fe de sus padres. Ya no es solo una intuición interior la que actúa, separándole del camino del ateísmo práctico a que le invita la moda; ahora es la certeza de que, al lado de Dios, se siente uno mejor.

Pronto, sin embargo, tendrá ocasión de poner en práctica lo que ha oído y le ha impresionado. Por muy bueno que sea por naturaleza, como en el caso del ateo, también él tendrá sus límites y estos no tardaran en hacer su aparición. Será una persona molesta la que lo interrumpa de forma intempestiva, será algún gorrón que solicite de él un favor sin merecerlo, será el cumplimiento de una obligación antipática; el caso es que, llegado a esos límites naturales, nuestro amigo no se encuentra solo ante ellos; la voz de ese Dios en el que cree que se deja oír y le enseña continuamente según la única ley valida: ama, ama, ama. Ama y atiende a ese pesado, que también tú has sido muy pesado para mí cuando yo colgaba de la cruz cargando con tus pecados. Ama y ayuda a ese gorrón, que también yo te he perdonado a ti, aunque me habías engañado tantas veces antes. Ama y cumple con tu deber, como yo cumplí con el mío por amor a ti. Ama y haz lo que quieras, que dijo hace siglos San Agustín. Ama y haz feliz a tu prójimo, al margen de si se lo merece o no; esa es la voz que suena firmemente en la conciencia del cristiano cuando este la abre a las enseñanzas del Dios en el que cree.

Naturalmente que nuestro amigo creyente no es perfecto, como tampoco lo era el agnóstico. Unas veces secundará la voz de Dios y otras se sentirá incómodo, porque esa voz le está marcando unas normas morales que le resultan excesivamente elevadas. Es posible que en esas circunstancias mire con envidia a su colega ateo y añore no tener a nadie que le diga lo que está bien y lo que está mal, para poderse decir a sí mismo lo que le gustaría oír en ese instante. Pero la voz está ahí. Y nuestro amigo, en más de una ocasión, va en contra de ella y peca.

El pecado para el creyente no es el fin del mundo. Solo una formación religiosa enfermiza puede hacer de algo tan habitual una fuente de traumas. El pecado es, simplemente, una ruptura con un amigo. No es más ni tampoco menos. Pero el creyente sabe que las rupturas se anudan y que las enemistades se curan con una simple palabra: perdón. Por eso, el pecado no es ningún drama irreparable. Y por eso nuestro amigo se dirige al Dios en el que cree, no para pedirle que modifique las normas morales y que baje el listón para poder hacer lo que le dé la gana sin complejo de culpa, sino para que le perdone cuando no ha hecho lo debido y le dé fuerzas para hacerlo mejor la próxima vez.

Esto vale, en fin, para las circunstancias cotidianas, que son las más corrientes pero no las únicas. En la vida de cualquiera surgen de vez en cuando momentos que podríamos llamar «especiales» y en los que se pone a prueba la calidad moral de la persona. Es lo que Cristo llamó fidelidad en lo mucho, que, según él, solo era posible cuando se estaba acostumbrado a ser «fiel en lo poco». Esos momentos especiales, como en el caso anterior, pueden ser la ocasión de participar en un negocio lucrativo pero ilegal, en una corrupción por ejemplo; o la disyuntiva de tener que elegir entre permitir el nacimiento de un hijo no deseado o abortar; o enfrentarse a una larga enfermedad, propia o de un pariente, con la posibilidad de acelerar su muerte mediante el recurso a una eutanasia que en algunos países ya está aprobada. En fin, que esos momentos especialmente difíciles también le llegan a nuestro amigo creyente, lo mismo que le sucedía al que había optado por el ateísmo.

Sucede en estas circunstancias «grandes» exactamente lo mismo que en las pequeñas y cotidianas: la tentación te invita a pensar en ti, en lo que resulta más cómodo y menos complicado; si no existe una voz fuera de ti y que representa mucho para ti, una voz de un amigo al que llamas Dios y al que te has acostumbrado no solo a obedecer, sino, sobre todo, a querer, las dificultades para dar una respuesta generosa e incluso heroica serán mucho mayores. Esto no quiere decir que el creyente no peque, que en lo grande o en lo cotidiano lo haga siempre todo de acuerdo a su conciencia y a la voz de Dios que habla a través de ella; significa, por lo menos, que esa voz existe y que se niega a callar por mucho que resulte molesta para el que la escucha. Y como nadie puede cambiar si no es consciente de que debe cambiar porque ha obrado mal, resulta mucho más fácil para el creyente hacer el bien o por lo menos corregirse en un momento dado del mal que hizo. Esta es su ventaja, la de no estar solo, la de no engañarse a sí mismo consciente o inconscientemente diciéndose que lo bueno es lo que le conviene y lo malo lo que le perjudica. Para algunos esta ventaja podría resultar más bien lo contrario, un inconveniente; para el que ame la verdad y la justicia no será así, pues, dejando de lado los casos teóricos y las excepciones de libro, en la mayor parte de las personas la soledad interior que va anexa a la pérdida de la fe lleva consigo una bajada del listón ético, cuando no es el deseo de que ese listón baje la causa principal por la que se abandona la fe en ese Dios tan molesto como exigente.

Considero que la presencia de Dios luchando contra el hombre para evitar que este renuncie a sus principios morales es un don, una suerte, para el propio hombre. Lo creo así, porque estoy en absoluto desacuerdo con aquella frase de Descartes que le servía de punto de partida para elaborar su filosofía: «Pienso, luego existo». Creo, más bien, que el hombre es no solo cabeza -pensamiento, razón, argumento-, sino también corazón. En el hombre entra la inteligencia, pero también los actos.

El pensamiento aporta motivaciones, pero si estas no se llevan a la práctica se convierten en elucubraciones estériles. Por eso estoy más de acuerdo con la antropología que se desprende del Evangelio que con la idealista de Descartes, Kant o Hegel; según el mensaje cristiano, se puede afirmar que el hombre es hombre no porque piensa, sino porque ama. «Amo, luego existo» es un planteamiento más completo que el del filósofo racionalista francés; amar implica pensar, pero también actuar, amar es pensar con frutos y no solo predicar sin dar trigo.

Por todo ello, y volviendo a lo anterior, es por lo que considero que nuestro amigo es muy afortunado al tener una conciencia moral iluminada por una sabiduría divina que le está continuamente elevando el listón y le está animando a que ame, a que perdone, a que ayude a quien no se lo merece, a que supere sus límites e incluso a que, en esos momentos especialmente difíciles, dé una medida generosa y valiente.

Pero si nuestro amigo creyente es afortunado porque ama y porque al amar es más persona y más ser humano, mucho más podríamos decir de los que le rodean. El beneficio social de este tipo de comportamiento será forzosamente mucho mayor. Es ridículo decir que la fe se convierte en opio del pueblo; será otro tipo de fe, pero no desde luego aquella que te está lanzando continuamente hacia el prójimo para que le des lo que sabes que tienes el deber de dar al Señor tu Dios. ¿Cómo puede ser opio del pueblo la imitación de un Dios-hombre que evitó que apedrearan a la adúltera, que curó a los ciegos, que sanó a los leprosos, hizo andar a los paralíticos y defendió a los débiles? Porque todo eso es lo que está llamado a hacer el cristiano, no solo mediante los milagros sino mediante el ejercicio cotidiano de la caridad; esta le llevará a estar siempre al lado del que sufre, dando de comer al hambriento, acompañando al que está solo, compartiendo con el que nada tiene no solo las sobras, sino incluso las cosas que él también necesita.

Pero, en fin, también a nuestro amigo creyente, lo mismo que al agnóstico, le llegará un día la hora de la muerte. Como en el caso anterior, la existencia o inexistencia de Dios no dependerá de lo que el haya creído. Si Dios existe, se lo encontrará al margen de su fe y si no existe, por mucha fe que haya tenido no se encontrará con nada. Si su compañero ateo tenía razón y Dios es una invención humana, un consuelo para tragarse mejor la píldora de la muerte, llegado ese momento no tendrá ocasión de arrepentirse ni de tirarse de los pelos por haberse equivocado, lo mismo que no tendrá ocasión de decir que ha sido tonto por haber dedicado tantas horas de su vida a invocar y hablar con una idea y no con un ser real; no tendrá ocasión de nada de eso, porque, sencillamente, no existirá nada. Su muerte será entrar en el mundo de la nada, caer al vacío, dejar de existir.

¿De qué le habrá servido, entonces, tener fe si luego Dios no existe? Le habrá servido para no estar solo ni ante las alegrías ni ante las penas de la vida, para ser cada vez mejor persona al vivir pendiente de una religión que le instaba a amar más cada día, para sembrar a su alrededor toda la felicidad de que él era capaz y, por último, para afrontar ese momento angustioso y final con la esperanza, aun equivocada, de que era simplemente un tránsito. Puestos a no haber nada, él ha vivido la vida como si lo hubiera y eso le ha hecho sacar más partido de las ocasiones que ha tenido, le ha ayudado a ser mejor y a dejar tras de sí un rastro de felicidad.

Pero eso es solo una hipótesis. Supongamos ahora la otra: Dios sí existe y cuando nuestro amigo muere se encuentra exactamente con lo que había creído: un Dios que es amor, que le juzga conforme a la fidelidad a su conciencia, iluminada esta por las enseñanzas de la Iglesia. Quizá nuestro amigo tendrá que estar una temporada «aparcado» para purificarse convenientemente y entrar en presencia de ese Dios que es amor y belleza infinita, pero cuando lo haga, qué inmensa felicidad la suya y no solo por estar con Él, sino también por saber que acertó, que hizo bien en escuchar aquella vocecita de sentido común que le hablaba en su interior cuando era joven y que le impidió dejarse llevar por la soberbia y creer que no era verdad lo que no pudiera caber en su limitada inteligencia. Quizá se encuentre un día, paseando por los jardines del cielo, a su compañero ateo y esperemos que este haya dejado ya de darse golpes contra uno de los hermosos arboles del paraíso, los golpes que empezó a darse cuando comprendió que Dios sí existía y él había sido tan torpe que había pasado la vida de espaldas a la mejor noticia que puede escuchar el oído humano. Estoy seguro de que el encuentro será hermoso y que el antiguo agnóstico le dirá algo así: «Siempre fuiste más sabio que yo, veías las cosas no solo con la cabeza sino también con el corazón. Por eso acertaste».

Estas son, por tanto, las ventajas y los inconvenientes de ambas posturas desde un punto de vista argumental. Para el no creyente la ventaja es la de disfrutar de una libertad relativa -nunca es absoluta, porque aunque no escuche a Dios ni le obedezca, siempre estará influido por lo que los manipuladores de la opinión pública quieran hacer pasar en ese momento por la moda ética conveniente-; esa ausencia de compañía interior implicará, a cambio, una elevada dosis de soledad, la insatisfacción del deseo de trascendencia que todo ser humano lleva dentro, con la consiguiente carga de angustia y estrés que, como vimos, era la enfermedad propia de nuestro tiempo. Implicará, sobre todo, que no tendrá nadie dentro de sí mismo para decirle que lo que le apetece, a veces, no es bueno por mucho que le gustaría que lo fuera, con lo cual cuando llegue a sus límites morales se quedará estancado en ellos. Y, por último, tendrá que afrontar también desde esa soledad y estando convencido de que no existe nada, el hecho irremediable de la muerte. Esas son sus ventajas y sus inconvenientes.

El otro, el creyente, el que supo hacer frente a la moda del momento, habrá sentido fastidio en más de una ocasión al experimentar el rigor de su conciencia que no le permitía dar por bueno lo que sus compañeros consideraban tal. A cambio de esta «limitación» en su libertad se habrá salvado de ser manipulado por los controladores de la opinión pública, pues la voz de Dios en su interior le habrá ayudado a pensar por sí mismo sin dejarse conducir como un borrego, por lo que los nuevos amos del mundo quieren que se crea. Sobre todo, no habrá estado jamás solo; ni en las alegrías ni en las tristezas se habrá sentido desamparado y esa presencia se habrá convertido para él, a poco que haya perseverado, en mucho más que un recurso psicológico; Dios se habrá ido haciendo día a día un compañero de camino; seguirá siendo el Señor, el Dios al que se debe respeto y fidelidad, pero será cada vez más el Padre, el Amigo, el que te ama infinitamente hasta morir por ti y te ayuda a dar sentido a la vida. Habrá podido así saciar el ansia de trascendencia que lleva dentro cada ser humano y no habrá tenido que volverse loco para llenar esos vacíos con nuevas cosas cuya ilusión dura lo que se tarda en conseguirlas. A lo largo de su vida se habrá ido haciendo más persona, porque el amor habrá sido siempre su meta y su frontera. Cuando ha desobedecido a esa única ley, no se habrá engañado, no habrá seguido la política del avestruz que esconde la cabeza para no ver la realidad, sino que con humildad habrá pedido perdón y habrá vuelto a empezar en la lucha cotidiana por vencer sus defectos y aumentar sus virtudes. Así, a su paso, habrá ido sembrando todo el bien que de su persona pudiera salir y, llegado el momento de la muerte, no se habrá enfrentado con ella como con la enemiga, sino como con la hermana que le permite el acceso a otra vida, la vida definitiva en la que recuperará el contacto con los que le precedieron y se encontrará definitivamente con Dios.

No sé si a algún lector le parecerá excesivo el argumento. Creo firmemente en él. Pero no soy solo yo quien lo cree así. Está, por ejemplo, Unamuno, que, en su *San Manuel Bueno, mártir*, desarrolla esta misma idea y concluye en que la fe es más útil que la increencia, tanto para el individuo como para la sociedad. Claro que muchos siglos antes que él ya lo habían descubierto otros; así, Ovidio dejo escrito: «Conviene que existan los dioses. Y puesto que conviene, creamos que existen». Incluso muchos agnósticos y ateos admiten que es más útil la fe, por más que ellos no puedan dar el paso de aceptarla; André Malraux, por ejemplo, dice: «Ciertamente, hay una fe superior. Es la que tienen las cruces de las aldeas. Ella es el amor, y la paz se encuentra en ella. Pero yo no la aceptaré ni me rebajaré a pedirle el sosiego que mi debilidad exige». Los hay que, entendiendo eso y al estilo de lo que preconizaba Unamuno, optan por vivir como si tuvieran fe, a la espera quizá de que algún día se rasgue el velo que les impide ver lo que tanto anhelan; entre ellos está el escritor François de Curel, autor de *El nuevo ídolo*, que dejó retratada así su alma y su vida: «No creo en Dios, pero vivo como si creyese en él. La inteligencia tiene su lógica, y el alma tiene un no sé qué que excede mi comprensión».

Otros, que han profundizado en la ciencia o en la filosofía, han comprendido que la fe no está reñida con la sabiduría de los hombres, sino que por el contrario enseña cosas que ningún libro puede darte a conocer. Sin ir más lejos, Einstein afirmó: «El cristianismo salva y eleva nuestro espíritu. Sus palabras están impregnadas de sabiduría divina y sus enseñanzas son las más valiosas que ha alcanzado el espíritu humano».

Y Rivarol nos pone en guardia contra aquellos que son aprendices de brujo y que por haber leído cuatro artículos o algún libro ya se creen poseedores de toda la ciencia de los hombres: «Poca filosofía aparta de la religión; mucha conduce a ella.»

En definitiva, puestos a elegir, con la razón en la mano, porque ya veremos en el capitulo siguiente lo que sucede cuando se contemplan las cosas desde el corazón, lo más útil e inteligente es tener fe. Por si acaso es verdad lo que decía De la Bruyère: «La imposibilidad en que me encuentro de probar que Dios no existe me prueba su existencia», conviene que optemos por lo que nos va a resultar más rentable incluso para esta vida. No sea que nos arriesguemos no solo a haber caminado solos en este difícil tramo de la existencia, sino a que exista ese otro mundo eterno e infinito en el que han creído siempre los seres humanos y allí no podamos encontrar ni siquiera un árbol comprensivo en el que damos golpes de contrición por haber sido tan torpes y soberbios. Escuchemos al viejo Pascal repetirnos que «el corazón tiene razones que la razón ignora» y que «la última etapa de la razón es reconocer que hay infinidad de cosas que la sobrepasan. Muy débil es, si no llega a comprender esto. Y si las cosas naturales la exceden, ¿qué decir de las sobrenaturales?»

Naturalmente que no creo que estos argumentos de «utilidad» sirvan de forma absoluta y plena para convencer a nadie. Hay otros aún más importantes. Me conformo con que la persona que había «suspendido el juicio y la decisión» en el capítulo anterior entienda ahora que tener fe no solo no es irracional, sino algo que encaja a la perfección con la lógica humana, que resulta interesante para el individuo y muy útil para el conjunto de la sociedad, puesto que pone al ser humano en la dinámica del amor, que es la mejor manera de vivir en comunidad.

CAPÍTULO III. EL DEBATE DESDE EL CORAZÓN. EL TRIUNFO DEL SENTIDO COMÚN

«Adiós -dijo el zorro-. He aquí mi secreto. Es muy simple: solo se ve bien con el corazón. Lo esencial es invisible a los ojos.» (Antoine de Saint-Exupéry)

«La razón no atraerá nunca a los hombres sin añadirle el sentimiento, el entusiasmo y el amor. La mística cristiana ha sido, a lo largo de los siglos, la inspiradora del amor y de la caridad.» (Alexis Carrel)

La aventura de la filosofía me parece una de las más apasionantes y específicamente humanas que el hombre pueda emprender. A pesar de los riesgos que se corren en ella, merece la pena emprenderla con tesón y perseverancia, con honestidad intelectual y amplitud de miras. Desde Zenón o Parménides a Sócrates, desde Cicerón y Epicuro a Séneca, por citar solo los nombres de los antiguos padres del pensamiento occidental, hasta los más modernos como Kant, Hegel, Marx, Bloch, Maritain, Zubiri, Wittgenstein, Levy-Strauss o Adorno, todos han aportado algo a la sabiduría humana, pues han contemplado la realidad desde su particular punto de vista, descubriendo matices que a los demás les habían pasado desapercibidos. Al leerlos y estudiarlos, al meditar sobre sus afirmaciones y también sobre las que hacen sus oponentes, se descubre que cada uno de ellos posee algo de verdad, aunque ninguno tiene la verdad entera.

Se extrae, sobre todo, una lección de humildad, la misma que dedujo Pascal: «No saquéis de la instrucción la consecuencia de que nada os queda por saber, sino que os quedan por saber infinitas cosas». Y si alguno te hace dudar, de la fe por ejemplo, otro te ayuda a dudar del que te había hecho dudar, porque el buen maestro cumple siempre el precepto que dejó escrito Ortega: «Siempre que enseñes, enseña a la vez a dudar de lo que enseñas». Y así, leyendo y estudiando, bebiendo en una y otra fuente y comprobando cómo cada uno cree poseer toda la verdad de la vida y del hombre y cómo el siguiente filósofo se encarga de desmontar el edificio intelectual que el anterior construyó, no se llega al relativismo o al escepticismo, sino a una sabiduría aún más profunda que te hace volver la mirada a las viejas enseñanzas de la Biblia, a los principios recogidos en esa magnífica biblioteca en la que el Dios de los judíos vertió su revelación y el de los cristianos la llevó a su plenitud.

En definitiva, la mucha lectura te ayuda a relativizar también a los que todo lo relativizan y a comprender que no basta la luz de la razón para entender lo que ocurre en el ser humano, pues este es mucho más rico y complejo que lo que se puede comprender con los silogismos y la lógica. Cuanto más se sabe, más consciente se es de lo mucho que falta por saber y el único que no se da cuenta de esta verdad es el que todavía sabe muy poco. Es entonces cuando estás preparado para dar un paso adelante, el que a mí me gustaría dar en este capítulo, el de introducirse en el misterio humano. Un misterio para el que no basta la luz de la razón sino que necesita también de las intuiciones que nacen en el corazón, aunque este no sea más que una víscera motora de la sangre y sea el extraordinario cerebro del hombre quien contenga en sí no solo la lógica, sino también todo lo demás que nos caracteriza como miembros de esta rara y hermosa especie animal que llamamos hombre.

Somos, digámoslo con términos clásicos, cuerpo y alma. Somos una unidad, no dos que viven juntas, pero que no se funden. Somos una sola cosa, el ser humano, original e irrepetible en nuestra individualidad, pero que posee dos dimensiones, la corporal y la espiritual. Resulta difícil a veces que una entienda a la otra. Cada una puede tener sus «hambres», sus «exigencias», como intuyó Freud al describir los tres niveles del espíritu. Por eso, sería un grave error pretender que una se imponga sobre la otra y que no le dé la oportunidad de aportar su originalidad y reclamar lo esencial de sus exigencias. Y esto tanto si lo hace el cuerpo como si lo hace el espíritu. Es imprescindible, pues, saber qué riesgos se corren cuando los planteamientos vitales se hacen en exclusiva desde uno de los dos focos; «Se puede andar –decía Mark Twain- con una pistola cargada y se puede andar con una pistola descargada, pero no se puede andar con una pistola sin saber si está cargada o descargada.» Es decir, resulta peligroso creer que basta con la razón para entender el ser humano; tan peligroso como si creyéramos que basta con dar satisfacción a las necesidades más elementales de nuestro cuerpo para satisfacer al hombre entero. Se puede construir una «filosofía» solo desde la razón y muchos lo han hecho así, o se puede vivir como si fuéramos un caballo o una vaca, que se satisfacen con tener pienso abundante y relaciones sexuales a su tiempo; lo que no se puede hacer es cometer el tremendo error de creer que desde esos puntas de vista parciales se puede entender toda la verdad y todo el misterio del hombre.

Baste, para corroborar lo que digo, este fragmento del discurso que René Viviani se atrevió a hacer en la Cámara de los Diputados francesa en la época en que más fuerte arreciaban las críticas contra la religión, discurso que expresa muy bien cuáles serían las tremendas consecuencias individuales y sociales del fin del sentimiento religioso: «Hemos arrancado las conciencias humanas de la fe. Cuando un miserable, fatigado por el peso del día, dobla las rodillas, le hemos levantado y le hemos dicho que detrás de las nubes no hay más que quimeras. Parece un gesto magnífico, pero hemos apagado en el cielo las luces, que ya no iluminarán más.»

No juguemos, pues, a aprendices de brujos. Que nuestros silogismos y nuestras construcciones intelectuales sean aventuradas pero a la vez humildes, que tengan en cuenta no solo el bien que pueden aportar, sino también el daño que pueden hacer, que se esfuercen por comprender la totalidad del ser humano y no solo las partes que lo integran, su alma o su cuerpo.

ATEO Y CREYENTE ANTE EL LADO BUENO DE LA VIDA

Difícilmente se encontrará una persona a la que todo le haya ido bien y que no conozca el sufrimiento en la vida, del mismo modo que costará encontrar a alguien a quien todo le haya ido mal. Es más fácil, desde luego, que se presenten situaciones conflictivas que empañan las posibilidades objetivas de felicidad, dado que para que no existan problemas tienen que darse demasiadas condiciones a la vez, mientras que con que solo una de ellas falle surge algo que trastorna nuestros planes e introduce elementos perturbadores de ese estado ideal de felicidad. Es como la salud: para que exista, todo tiene que ir bien en el cuerpo humano y ese todo incluye muchísimas cosas: el corazón, el hígado, los pulmones, los riñones, la piel, las vértebras del cuello y las de la cadera, el azúcar de la sangre, el colesterol y un sinfín de etcéteras; basta con que uno de estos elementos no funcione de forma correcta, aunque los demás sí lo hagan, para que estemos enfermos. Claro que la felicidad no es lo mismo exactamente que la salud, pues solo un concepto materialista y animalesco de la felicidad la haría coincidir con la ausencia del dolor. Con todo, podemos usar para nuestro estudio ese concepto reductivo y considerar que ciertas alegrías contribuyen a la felicidad y que ciertos disgustos la enturbian. Vayamos primero con las alegrías, con las cosas buenas de la vida, para ver las ventajas e inconvenientes que tener o no tener fe suponen ante ellas.

Hay muchos chistes, malos por lo general, que hacen del infierno un lugar agradable en el que están los famosos y en el que se canta y baila sin cesar; en cambio, el paraíso se representa como un sitio aburrido en el que se vive una siesta eterna inmensamente sosa. Quizá sea por eso por lo que mucha gente cree que la religión es especialmente útil para los momentos difíciles de la vida y que solo en esas circunstancias interesa tener fe porque te mantiene y ayuda; en cambio, cuando las cosas van bien, la fe es sinónimo de «aguafiestas», una especie de abuelo gruñón que no te deja disfrutar de lo que la suerte te ha brindado o de lo que tú has ganado con el esfuerzo de tus puños. Después veremos lo que sucede en los malos momentos, pero ahora vayamos a algunos de los buenos.

Por ejemplo, una situación juvenil de enamoramiento ligero, un ligue de fin de semana sin mayores consecuencias y que no tiene otro futuro que el de concluir cuando pase la noche y tenga que regresar a casa al rayar el alba. La mayoría coincide en opinar que si los jóvenes se separan de Dios y de la Iglesia es porque esta no es más tolerante con las costumbres casi universalmente aceptadas por aquellos y que suponen una utilización del sexo sin tabúes y sin compromisos, un usar y dejar, siempre que ambas partes estén de acuerdo en usar y ser usadas. La fe, en el actual contexto de permisividad, se presenta como una incómoda referencia ética que nos impide disfrutar a fondo de lo que la sociedad y las leyes consideran aceptable. *A priori*, en esta situación todo son ventajas para quien no tiene fe; no digo que el no creyente lleve de hecho una vida sexual más licenciosa que el creyente, pero sí que hará lo que crea que debe hacer sin otra referencia moral que la que él mismo se quiera dar y que, en la mayor parte de los casos, estará influida notablemente por la permisividad social actualmente dominante. Estaríamos, pues, ante una victoria del ateo sobre el creyente, el cual, si hace lo que el cuerpo le pide y sus compañeros practican, sabe que ofende al Dios en el que cree y al que desea amar; si no tuviera esa fe, podría hacer lo mismo sin ningún tipo de escrúpulos ni remordimientos.

Naturalmente que esta victoria tiene sus consecuencias. Algunas, como se ha dicho, son muy negativas para la fe, pues no son pocos los jóvenes que viven «como si Dios no existiera», aunque crean en Dios, e incluso esa «anticuada moral» lleva a muchos otros a alejarse primero de la práctica y luego de la misma fe. El camino fácil siempre ha sido más transitado que el difícil.

Otras consecuencias de esta «victoria» del estilo de vida ateo son, en cambio, negativas para el ganador. De hecho, con razón o sin ella, se va difundiendo la idea de que el creyente es una persona más honrada, más seria, más digna de confianza y más capaz de controlar sus instintos que el no creyente. Tanta permisividad, ligada a la idea de que Dios es el único freno a la misma, está provocando, con razón o sin ella, que «agnosticismo» se convierta en sinónimo de «falta de principios». Nadie duda de que un hombre religioso sea capaz de cometer un pecado e incluso un grave pecado, pero al menos con él sabes el terreno que pisas, sabes que tiene dentro un reloj moral funcionando y que en un determinado momento le va a decir: «Párate, no debes seguir». Y al menos eso, hoy, ya es mucho. Por esa razón muchos padres llevan a sus hijos a colegios religiosos, por ejemplo; aparte de la disciplina que se supone que existe en ellos y de otras ventajas de tipo académico, los padres buscan especialmente en esos centros una formación moral para sus hijos; quieren que se les enseñe a distinguir el bien del mal; quieren que alguien haga lo que quizá ellos no están siendo capaces de hacer en casa: poner un mínimo de control en el comportamiento de sus hijos para evitar que sus estupendas posibilidades se arruinen en una vida sin principios.

Y si esto piensan los padres, ¿qué opinan los propios jóvenes? Si nos dejamos llevar por una primera impresión podríamos pensar que las elevadas leyes morales de la Iglesia católica -las más altas dentro del conjunto del cristianismo- son una invitación a su alejamiento; curiosamente, cuando se asiste a misa en la mayor parte de los templos católicos de los barrios de las grandes ciudades, es decir, donde hay juventud, se nota una relativamente numerosa presencia de jóvenes; escasean más las personas de «edad media» que los jóvenes y los ancianos. De hecho, en la archidiócesis de Madrid, por poner un ejemplo, quince mil jóvenes reciben voluntariamente el sacramento de la confirmación cada año, con una media de edad que oscila entre los dieciséis años y los veinticinco; ningún grupo político, cultural y ni tan siquiera deportivo tiene una adhesión de ese calibre; una adhesión que exige a los interesados acudir una tarde cada semana y durante dos años a recibir unas catequesis que en no pocas ocasiones no son de una gran calidad. Ahí está, además, el éxito incontestable de Juan Pablo II entre la juventud. Del medio millón de jóvenes congregados junto a él en Santiago de Compostela en 1989 se pasó al doble a los dos años en Czestochowa, repitiéndose el éxito en 1993 en Denver (Estados Unidos) y llegando a la increíble cifra de cuatro millones de personas en la gran jornada de la juventud que tuvo lugar en Manila en enero de 1995. En 2011 en Madrid no se batieron esas marcas, pero a nadie de los que allí estuvimos nos quedó ninguna duda de que ni todos los jóvenes son ateos ni la fe es algo que haya dejado de interesar a una parte importante de la juventud. Ni las grandes concentraciones musicales lograron la audiencia conseguida por aquel Papa polaco ya anciano que no les ofrecía a los jóvenes ni músicas de moda ni discursos contemporizadores, o por el Papa alemán que, a pesar de ser un sabio teólogo, logra hablar directamente al corazón de la juventud. ¿No será, entonces, que son nuestros esquemas los que se han quedado anticuados y que los jóvenes, al menos muchos jóvenes, desean oír cosas serias en lugar de que se les alimente con papillas semidigeridas?

Es cierto que muchos de esos muchachos, en la discoteca del fin de semana a la que aludíamos al principio, verán naufragar la coherencia de su fe; pero también es cierto que en otros muchos casos eso no será así y que, incluso cuando hagan algo que está mal, su conciencia les seguirá diciendo que junto al mal hecho está el perdón de Dios y ellos no cambiarían por una religión light la verdad que el Dios en el que creen les ofrece.

Pongamos otro caso de la parte buena de la vida, de esos en los que, *a priori*, es mejor no tener fe que tenerla. Supongamos que triunfas en tus negocios y que, honradamente, has alcanzado el éxito y con el éxito el dinero. Después de muchos sinsabores, ganado a pulso, has logrado situarte en el puesto que tanto habías soñado y eso significa un nivel de vida confortable y una gran seguridad económica para el futuro de los tuyos. Eres un triunfador. ¿Qué le dice la conciencia cristiana a ese gran personaje? Le pone pegas, ciertamente. No se las ha puesto solo entonces, sino que también le ha estado martilleando los nudillos mientras intentaba trepar para alcanzar la cima: no puedes mentir, no está permitido cualquier medio, por muy bueno que sea el fin que persigues, tienes que ayudar a tu prójimo, aunque sea un competidor tuyo. Pero cuando al fin el éxito, legítimamente ganado, te ha sonreído, también entonces esa conciencia sigue trabajando. Extrae entonces de los cartapacios de los teólogos eso que se llama Doctrina social de la Iglesia y se empeña en repetirte frases como las de Pablo VI: «No debes limitarte a dar de lo que te sobra, sino que tienes que tener en cuenta las necesidades de los pobres.» Se obstina, además, en prohibirte el uso de cualquier tipo de medios que te permitan ganar dinero y se niega a callar cuando alguien pretende considerar a los obreros como instrumentos productivos a los que utilizar sin tener en cuenta su condición de personas.

Sí, es ciertamente incómoda la conciencia cristiana para el triunfador. De hecho, lo mismo que sucede con los jóvenes en edad de ligar, son muchos los que, al llegar arriba, se olvidan de esa conciencia y se entregan de lleno en manos del ateísmo práctico que pomposamente se conoce como agnosticismo; prefieren no pensar en nada que no sea en disfrutar de la vida que tienen delante y del dinero que corre por sus manos; como mucho dejan a las mujeres de la casa, la mujer y la madre, que se hagan cargo de las cosas de la religión y que distribuyan algunas limosnas, siempre que no pongan en peligro ni de lejos el nivel de vida que están decididos a llevar, y siempre que no les incomoden con problemas de conciencia. En contra de lo que mucha gente cree, es en esa clase triunfadora en donde hay menos cristianos, sobre todo entre los recién llegados a ella, entre los «nuevos ricos», entre los que han pasado rápidamente a ocupar los puestos más altos mediante la cultura del «pelotazo».

Estamos, pues, en otra situación de «ventaja» para el ateo con respecto al creyente. No es que aquel sea una persona incapaz de compartir con quien no ha sido beneficiado por la suerte o con quien no ha sabido emplear los recursos que la vida le dio; hay no creyentes de un elevadísimo nivel de generosidad que dejan atrás a la mayoría de los que creen en Dios. La diferencia está, una vez más, en que el ateo no tiene otra voz interior que la de su conciencia y si esta le pide poco dará poco, lo mismo que será generoso si tiene una conciencia rica en valores humanos. Para el creyente, en cambio, no es lo mismo; sea cual sea su nivel de generosidad personal, su conciencia bebe en las fuentes del Evangelio y eso la sitúa en un elevadísimo nivel. No le bastará, además, con dar limosna, ni tan siquiera con dar generosas limosnas; tendrá, si está en el caso, que atender escrupulosamente los derechos de los trabajadores que de él dependan, yendo incluso más allá de lo que le obliga la legislación laboral al uso, cuando esta está poco o mal desarrollada. Esto quizá le impida hacerse más rico aún, puesto que los «escrúpulos de conciencia» no parecen casar muy bien con la capacidad de amasar grandes fortunas. En todo caso, negocios fraudulentos, corrupciones con fondos públicos, participación en los grandes caudales que mueve el narcotráfico u otro tipo de delitos, le estarán siempre vedados so pena de traicionar gravísimamente a su conciencia.

Pero si esos son los «inconvenientes» de tener conciencia, de tener una conciencia marcada por unos valores extremos a uno mismo que no se dejan sobornar por las conveniencias por muchos ceros que lleven los cheques, también esta situación tiene sus ventajas para el creyente. Son cada vez más las empresas que tienen en cuenta el nivel ético de sus empleados a la hora de seleccionar al personal y que no se fijan solo en sus títulos académicos o en su capacitación profesional; para trabajar en equipo y rendir como un buen profesional también sirve la ética; no es lo mismo tener a un buen compañero al lado, a una persona que sabes que te echará una mano cuando lo necesites y que no vive pendiente de quitarte el puesto o de segarte la hierba que crece bajo tus pies, no es lo mismo eso que tener al lado a un trepador, a un ambicioso que no tiene escrúpulos. La hora de los yuppies y los «tiburones» parece haber pasado, entre otras cosas porque siempre hay un tiburón mayor que termina por devorar al aprendiz de malo.

Vayamos al tercer y último caso, el de la vida familiar. Pongamos el caso de una pareja, casada o no por lo civil, según sus apetencias, que vive en una buena armonía y que ha decidido tener hijos. ¿Para qué necesita esta familia la fe, qué le puede aportar? Si son ateos conscientes y no de esos que lo son porque es más cómodo, probablemente estarán educando a sus hijos a tenor de un elevado nivel ético, de esa ética civil que ahora algunos pretenden difundir entre las masas que han abandonado las creencias religiosas. Además, serán probablemente tolerantes y si hay infidelidades conyugales - no tienen por qué ser más numerosas que en las parejas casadas por la Iglesia- quizá sean comprensivos y acepten sin problemas las canas al aire de sus respectivos cónyuges. Se verán libres de esos molestos compromisos a que están obligados los creyentes y podrán disfrutar de las mañanas enteras de los domingos en el sol de los parques o en sus fincas de recreo, sin tener que interrumpirlas para ir a pasar una hora en la oscuridad de los templos. Probablemente, el número de hijos no será excesivo; sin tener que recurrir al aborto, aunque tampoco sin descartarlo si llega el caso, habrán sabido quedarse en el hijo único o en la encantadora parejita, con lo cual habrá más paz en casa, más sitio para todos, mejores colegios, más cursos en el extranjero y, cuando llegue el momento, la herencia tendrá que repartirse entre menos. Y no quiero entrar en el capítulo de las desavenencias, porque lo trataremos en el apartado siguiente; ahora estamos contemplando las ventajas e inconvenientes de la fe cuando todo va bien en la vida; si eso ocurre pocas veces, ya es otro cantar.

En cambio, la otra pareja, la de los creyentes, la que se ha casado por la Iglesia haciendo una opción coherente con su fe, se ve una vez más sometida a los imperativos de esa tirana conciencia que en este caso administran clérigos que han hecho voto de castidad y que no entienden de las necesidades de la carne. Nada de aventuras extramatrimoniales, generosidad a la hora de tener hijos y a la hora de cuidar de ellos, dedicación de un tiempo precioso los domingos al cumplimiento de los deberes religiosos. En fin, un cúmulo de «desventajas». Claro que todo depende de cómo se mire. Porque si bien se exige a los esposos la fidelidad, también se les educa en el perdón cuando esa fidelidad se ha roto; si se les enseña a estar abiertos a la nueva vida cuando esta se presenta, no se les pide que tengan todos los hijos que la naturaleza les de sino que ejerzan una paternidad responsable y que utilicen los tan eficaces como desconocidos métodos naturales para lograrlo; además, los hijos tampoco son una desgracia y aunque supongan una carga para los padres, no es en absoluto una mala suerte para ellos el tener varios hermanos sino todo lo contrario; por último, sigue siendo verdad en la gran mayoría de los casos aquello que dijo el famoso predicador norteamericano Peyton de que «la familia que reza unida permanece unida», así que a lo mejor las horas invertidas en estar juntos en el templo están cimentando una eficaz solidaridad familiar que se pondrá a prueba cuando más se necesite.

En definitiva, que ni siquiera en esas ocasiones dulces de la vida en las cuales la fe podría representar un molesto equipaje, una especie de sombrilla que impide disfrutar a pleno rendimiento del sol cuando este apetece, ni siquiera entonces la increencia se puede presentar como más ventajosa. Me parece injusto decir que el joven ateo es más lujurioso que el creyente, que el rico ateo es menos generoso que el que tiene fe o que la pareja atea es menos fiel o educa peor a sus hijos que el matrimonio casado por la Iglesia; todos conocemos ejemplos de todo tipo, buenos y malos en ambas partes. Lo que sí es cierto es que la fe se presenta, en una sociedad permisiva como la nuestra, como una referencia ética elevada, más elevada que lo que la sociedad recomienda. Esa moral puede ejercer, a simple vista, de aguafiestas, pero tiene sus contraprestaciones, su lado positivo y este es tal que para muchos, jóvenes, ricos y casados incluidos, merece la pena y resulta enormemente ventajosa. Quizá sea por eso por lo que un ateo como Anatole France llegó a decir: «No tengo fe, pero quisiera tenerla, porque opino que es el bien más precioso de que puede disfrutarse en este mundo». O por lo que un creyente como Julián Marías escribió: «El cristiano es el hombre que no necesita tener éxito en este mundo. Considera el fracaso como una de las posibilidades que le están abiertas y su amenaza no es nunca para él un argumento decisivo». Eso sin olvidar lo que Chesterton decía, recogido de sus amigos no creyentes: «El peor momento del ateo es aquel en que se siente agradecido y no sabe a quién dar gracias».

ATEO Y CREYENTE ANTE EL SUFRIMIENTO

«La extremada grandeza del cristianismo proviene de que no busca un remedio sobrenatural para el sufrimiento, sino un uso sobrenatural de los sufrimientos». (Simone Weil)

Entrar en el mundo del dolor es entrar en un recinto doblemente sagrado. *Sagrado*, en el sentido estricto de la palabra, porque desde la muerte del hijo de Dios se convirtió, para el cristiano, en un lugar privilegiado de encuentro con la divinidad; sagrado, también, porque no hay momento más delicado, íntimo ni serio como el momento del sufrimiento en la vida del hombre. Se trata, por tanto, de un material con el que no se debe jugar a la demagogia, que no se puede utilizar para llevar el «agua al propio molino», como si fuera un argumento político o un arma arrojadiza.

Esta seriedad implica profundidad a la hora de tratar el tema. Desde mi punto de vista, carecen de esa profundidad aquellos filósofos que teorizan sobre el sufrimiento, la pobreza o, como veremos más adelante, la misma muerte como si fuera un asunto baladí y como si los hombres se enfrentaran a ellos a la ligera, sin costarles demasiado asumir los problemas personales o los de los seres queridos. Dan la impresión de ser como Séneca, que escribía acerca de la conveniencia de renunciar a las cosas del mundo sobre una mesa de oro. Razón tenía Ramón y Cajal, de reconocida adscripción masónica, para decir que: «El escepticismo y las bellas filosofías materialistas o panteístas solo se compaginan bien con la riqueza, o, por lo menos, con el aura *mediocritas;* el pobre, el atribulado y el enfermo necesitan una fe, porque ni están para pensar en filosofías, ni la ciencia puede, hoy por hoy, sustituir por nada los supremos consuelos de la religión».

Vayamos, pues, como en el apartado anterior, a analizar las ventajas e inconvenientes de la fe o la increencia ante situaciones habituales de la vida de la mayoría de los seres humanos, situaciones que tienen que ver con esa otra cara, la del dolor, la de los problemas, la del sufrimiento.

Empecemos por los problemas económicos. Situémonos no en nuestro país, sacudido por el paro y el desempleo juvenil, en el que podríamos encontrar tantos casos a los que referirnos, sino en situaciones algo más alejadas a las nuestras, pero también más dramáticas, situaciones ante las cuales nuestros pobres bien podrían pasar por millonarios.

De todos es sabido la gravedad de la situación en Iberoamérica. Naciones como Haití o Santo Domingo figuran a la cabeza de los países con graves problemas económicos; en otros lugares, determinadas zonas se suelen considerar prototipo de la miseria, como sucede con los barrios pobres, las favelas de muchas ciudades brasileñas, o con los «pueblos jóvenes» que rodean Lima. En esos lugares no falta la fe. Por el contrario, es muy abundante.

Siguiendo la tesis marxista de que la religión es utilizada por los ricos para mantener dormidos y sojuzgados a los pobres, debería resultar que en esas naciones, ciudades o barrios, los creyentes son gentes sumisas y dóciles, que no reclaman sus derechos y que miran bobaliconamente al cielo esperando la hora de la muerte como la de la liberación definitiva, con la ilusión de recibir allí una buena parcelita en función del caudal de sufrimientos acumulados en la tierra. La realidad, sin embargo, no tiene nada que ver con esto. Al margen de los errores que algunos sectores del clero o de los religiosos hayan podido cometer, influidos precisamente por esa visión extremista y falsa que el marxismo tiene de las relaciones sociales y de la religión, la inmensa mayoría de los hombres y mujeres que representan oficialmente a la Iglesia católica en esas zonas se han comportado como verdaderos motores del cambio social. La fe no ha sido, en sus manos, adormidera ni opio, sino despertador que estimulaba las conciencias para reclamar los legítimos derechos desde unos métodos pacíficos y legalmente reconocidos; además, el Evangelio ha efectuado un trabajo íntimo con el pobre, al cual no solo le consolaba en sus múltiples llagas haciéndole ver que esas no eran otras que las que Cristo había llevado por él -¿es acaso un error consolar al que sufre, sobre todo si el consuelo que se da es tan verdadero como el citado?-, sino que además de consolarle le animaba continuamente a luchar contra sus propias contradicciones personales, contra sus pecados, para que no se limitara a pedir el cambio social y estructural sin corregir él mismo sus errores.

La lucha cristiana tiene, pues, en estos lugares de batalla tres frentes nítidamente abiertos y comprobables por quien desee ir a verlos: el primero, contra las injusticias que mantienen sojuzgados a pueblos enteros y que propician escándalos como la «caza» de los menhinos da rua (los niños de la calle) para vender sus órganos en el mercado negro de trasplantes; el segundo, contra los pecados de los individuos, que son responsables de las múltiples desgracias que sacuden a las personas y a las familias; el tercero, dirigido a consolar a los que sufren, a aliviarles con la caridad concreta transformada en pan, en vestido, en educación, en medicinas, y a consolarlos también espiritualmente haciéndoles ver algo fundamental en el cristianismo, que no solo el hombre ha sido redimido por Cristo, sino también el dolor.

Estas son las ventajas del creyente en una situación desastrosa desde el punto de vista social y económico. Ventajas que, en algún aspecto, puede percibir también el ateo o puede otorgar, pues no son pocos los no creyentes que están trabajando en esos lugares para hacer más humana la vida a los que allí habitan; la diferencia será, como siempre, en que unos se quedan en lo superficial, en lo extremo y social de los problemas, mientras que para el creyente el consuelo y la ayuda penetran hasta lo más profundo del alma y allí llevan a cabo su acción más bondadosa y purificante. Citando de nuevo a un ateo, Anatole France, tendremos que admitir, pues, que «el sufrimiento nunca nos abandona y, si no lo estimáramos, nos haría insoportable la existencia. Por entenderlo así, el cristianismo es fuerte y es bueno».

El segundo caso podríamos encontrarlo en un problema familiar de los que con tanta frecuencia se presentan en los tiempos actuales. Por ejemplo, una ruptura matrimonial. Al margen de quién tiene la culpa, de si las leyes son justas o no al otorgar a la madre la tutela de los hijos y de si los padres cumplen o dejan de cumplir con sus obligaciones económicas, la verdad es que toda ruptura de la pareja supone un considerable dolor personal, por más que uno sea culpable y el otro casi inocente. Es cierto que en algunos casos esa ruptura se produce de forma civilizada, casi amigablemente, con pleno acuerdo en todos los sentidos, incluido el de la educación de los hijos y el económico. Pero también es verdad que si el final del matrimonio puede suponer un alivio para una o las dos partes, hasta ese momento se ha pasado un verdadero calvario, especialmente si hubo amor e ilusión en el momento en que se empezó la aventura en común.

Rupturas matrimoniales las hay tanto en parejas cristianas como en parejas ateas. Sufrimiento, también. *A priori*, la pareja atea tiene menos problemas para afrontar el asunto: no cree en vínculos sagrados, sino que para ellos el matrimonio no es más que un contrato legal que se rompe como los demás contratos mercantiles, ante un juez o ante un notario; además, los no creyentes, como se supone que no se han casado por la Iglesia o que, si lo han hecho, no se sienten vinculados por ella para un nuevo matrimonio, pueden acogerse a la posibilidad de reemprender su nueva vida con una nueva relación de pareja, legalizada oficialmente con un nuevo contrato o simplemente establecida de hecho.

Los creyentes, por el contrario, afrontan la ruptura de su matrimonio con más dificultades que los ateos. En primer lugar, y si son fieles a su conciencia, no podrán tirar por la borda de buenas a primeras el resultado de una acción que es más que un contrato y que tiene la categoría de sacramento. Esto les llevará a la obligación moral de luchar con todas sus fuerzas para salvar su matrimonio. Después, llegado el caso de que esa salvación sea imposible, les cabrá la posibilidad de recurrir a la separación legal, pero nunca al divorcio y, si este es requerido por la otra parte, no podrá hacer uso de una de sus consecuencias civiles, la de contraer un nuevo matrimonio. Siempre tendrá a mano el recurso a la nulidad matrimonial, más fácil de obtener y muchísimo más barata de lo que la inmensa mayoría de la gente piensa, pues las noticias que hay de ese tipo de actuaciones jurídicas son las que proceden de los famosos, los cuales se gastan una fortuna no en los costes «eclesiásticos», sino en la minuta de los abogados. Con todo, la nulidad no está al alcance de cualquiera, y no por dinero, sino porque para que la Iglesia la conceda ha de haber motivos auténticos que certifiquen que jamás hubo matrimonio, bien por vicio de consentimiento o por incapacidad física o psíquica de uno o de ambos contrayentes.

Vistas así las cosas, ante este tipo de problemas, por desgracia tan frecuentes, la fe es un obstáculo más que una ayuda y los creyentes se encuentran, una vez más, incomodados por su conciencia a la hora de poder hacer borrón y cuenta nueva en sus vidas. Pero, como en casos anteriores, todo tiene su trastienda y conviene ver lo que hay en ella.

En primer lugar, esa misma acumulación de dificultades y la seriedad con que se reviste el contrato matrimonial al ser calificado de sacramento, hace que muchas parejas -antes más que ahora- no se tomen tan a la ligera la posibilidad de la ruptura. ¿Por qué antes se divorciaban menos que ahora? Posiblemente porque no había una ley que lo permitiera y porque estaba mal visto, pero también porque la gente tenía más aguante o, al menos, porque al saber que no se podía romper con facilidad el matrimonio daban por sentado que tenían que soportar muchas más cosas y eso les hacía asumirlas con más facilidad.

Claro que si se considera el divorcio como un bien, en lugar de como lo que es, como un mal (que en algunas circunstancias puede ser un mal menor), como una ruptura, como la frustración de un hermoso plan inicial, entonces no se entenderá por qué hay que luchar por salvar el matrimonio y a la mínima dificultad se irá directamente a la separación y a la ley del punto final. Pero es que el divorcio es en sí un mal, aunque, como digo, pueda ser visto en muchos casos como un mal menor y necesario. Por tanto, aquello que te ayude a luchar para evitar el divorcio y salvar tu matrimonio será, en principio, un estímulo positivo; de hecho, en muchísimos casos, más del pasado que del presente, se cumple aquello del tonto del pueblo, que estaba cansado de que le consideraran así y decidió cambiarse de pueblo; en la nueva aldea, también le llamaron el tonto del pueblo, porque el problema no estaba en el sitio donde se iba a vivir, sino que el problema estaba dentro de él. A estas alturas, y con el ejemplo que nos dan países más experimentados que el nuestro en asuntos de divorcio, se sabe de sobra que muchos de los segundos matrimonios terminan en divorcio, y también buena parte de los terceros, y que si no se rompen más es porque ya no queda tiempo para ello o porque la pensión ya no da para más fragmentaciones. Y es que la persona que es insoportable por su carácter, lo es vaya donde vaya y viva con quien viva, ya que el problema está dentro de él.

Ahí, en los defectos personales, es donde más interviene la religión con sus benéficos efectos. No solo te dice que tienes que hacer todo lo posible para salvar tu vida de pareja y te hace pensar en tus hijos y en las consecuencias que para ellos tendrá tu libertad. Además, te ayuda a encajar los sufrimientos de la vida, a comprender que en todos los sitios hay problemas y que, vayas donde vayas, te vas a encontrar con sufrimientos, en los cuales, por lo demás, está la ocasión de unirte a Cristo y a su obra redentora de la humanidad. Por si esta labor de meditación y de apoyo al aguante fuera pequeña, la conciencia lleva a cabo otra acción paralela igual de importante: la de hacerte ver que tú también puedes estar siendo culpable de que las cosas no funcionen como es debido y que, por tanto, tienes que poner tu parte para que los problemas se corrijan; la manera de ser difícilmente se cambiará y el que es perezoso lo seguirá siendo hasta que muera, lo mismo que el que tiene un fuerte carácter, pero la conciencia religiosa te ayuda a luchar para moldear ese carácter, para quitarle las espinas y aristas más notables, para evitar que la convivencia contigo se convierta en un infierno.

El cristiano, quien quiere serlo de forma honrada y lo mejor posible, tendrá siempre ante sus ojos los ejemplos de los santos y la ayuda de Dios a través de los sacramentos. Con esa ayuda experimentará lo que escribía Santa Teresa en el Libro de su vida: «Con tan buen amigo presente –Nuestro Señor Jesucristo-, con tan buen capitán, que se puso en lo primero del padecer, todo se puede sufrir. Él ayuda y da esfuerzo, nunca falta, es amigo verdadero... ¿Qué más queremos que un tan buen amigo al lado, que no nos dejará en los trabajos y tribulaciones, como han los del mundo? Bienaventurado quien de verdad le amare y siempre lo trajere cabe de sí».

Y es que cuando uno tiene como horizonte de la vida el amor, con todo lo que esto significa, los problemas suelen ser menos, porque tú pones más de tu parte para que esos problemas no se presenten; y si vienen, por culpa del otro o por tus propios defectos, siempre tienes alguien dentro de ti y a tu lado que se pone junto a tu yugo para hacer la carga más ligera, a la vez que te anima a que no abdiques de tus responsabilidades y aceptes cargar con la cruz que en la vida te ha tocado.

Este y no otro es el secreto del cristianismo, un secreto que no aliena, que no pone en las espaldas sufrimientos inútiles, pero que educa y enseña a asumir las propias responsabilidades a la vez que a cargar con parte de las ajenas por el único motivo por el que merece la pena que viva un ser humano: por amor.

El tercer caso que podemos contemplar de esa cara oscura de la vida es el de la enfermedad. La beata Teresa de Calcuta dijo en cierta ocasión que uno de los enfermos de sida atendidos en uno de los conventos de su congregación le dijo: «Cuando más fuerte es el dolor de cabeza, pienso en Jesús coronado de espinas. Cuando el dolor es en la espalda, pienso en los azotes de Jesús. Si me duelen las manos o los pies, pienso en los clavos de la crucifixión.» Bastaría este caso, repetido de alguna manera en tantos otros miles de enfermos que afrontan su situación apoyados por la fe, para demostrar que en esta situación la creencia en Dios resulta absolutamente ventajosa sobre la increencia. Claro que alguno podrá objetar que no siempre está el ser humano enfermo, pero los demás casos y situaciones ya han sido tratados y sería injusto no considerar este, cuando además se hace presente en más de una ocasión en la vida de todos los seres humanos.

La enfermedad y el dolor físico o psíquico que conlleva no son una meta para los creyentes, al menos para los cristianos. La enfermedad, lo mismo que la pobreza o cualquier otro rostro del sufrimiento, es un mal que ha de combatirse. De ahí que la Iglesia no solo no tenga nada en contra de los cuidados médicos que sanen el mal o que al menos alivien el dolor, sino que incluso los recomiende aun a costa de, en casos extremos, acortar la duración de la vida. No se trata de sufrir por sufrir, ni tan siquiera de sufrir por imitar a Cristo crucificado. El creyente no es un masoquista ni mucho menos un sádico. Cuando te encuentras mal, tu fe te aconseja lo mismo que tu sentido común y tu instinto de supervivencia: ve al médico y busca la salud. Lo mismo cuando tienes un dolor: no está reñido con tu decisión de seguir a Cristo y a Cristo crucificado el buscar alivio, ya sea al dolor de cabeza o a los problemas ligados al reuma o a cualquier enfermedad incurable.

Pero, mientras vas de camino hacia el hospital, mientras hace efecto el tratamiento o si, a pesar de la buena voluntad de los médicos, este falla, el dolor no siempre puede evitarse. El dolor está ahí. Y ese dolor es con frecuencia no solo físico, corporal, sino también moral y psicológico; es un dolor que te machaca interiormente al ver frustrada por esa enfermedad imprevista tus planes proyectados con tanto cuidado, tu carrera tan costosamente lograda, tu futuro o el de los tuyos. Es un dolor que te envuelve como una segunda piel y del que no te puedes librar por mucho que los calmantes alivien el malestar físico que sientes.

Es entonces cuando Cristo se presenta como el mejor compañero de viaje. Aunque estés rodeado de tus seres queridos -y mucho más si eso no ocurre-, aunque te den todos los cuidados médicos que la ciencia ofrece, Cristo logra penetrar donde ni los amigos entran ni las medicinas hacen efecto; te reconstruye por dentro, te acompaña por dentro, te fortalece llenándote de esperanza y de resignación.

En este terreno, lo mismo que en el de la ancianidad y sus achacosas consecuencias sobre la salud humana y la soledad, el creyente encuentra una neta ventaja sobre el que ha perdido la fe. Es una lástima que esta lección tan evidente pase a veces desapercibida para los espíritus que se consideran doctos; la entienden muy bien, en cambio, los sencillos, aquellos que están más apegados al sentido común que a las disquisiciones abstractas. Quizá sea por eso por lo que ya en el siglo XIV Gerard de Groote escribió en *La imitación de Cristo* que «un humilde campesino arraigado en Dios es más fuerte que el filósofo que se descuida a sí mismo para considerar el curso de los astros».

No significa esto que todos los ateos se desesperen ante la enfermedad o ante la muerte, y que todos los creyentes se comporten como modelos de entereza y resignación; una vez más, encontramos ejemplos de todo tipo en ambos campos. Lo que sí es cierto es que el hombre religioso afronta esta etapa ineludible de la vida con la compañía íntima de alguien en quien cree y a quien ama: Dios, el mismo ser que le ha estado acompañando desde su niñez y con el cual tiene creada una relación de confianza y de amor. Esa compañía es su tesoro y su fortaleza; de ella, por voluntad propia, se ven privados los que no creen.

No falta, naturalmente, la picaresca. Así, es frecuente oír a algunos comentar que la parte mejor de la vida, la de la juventud y la madurez, es para vivirla sin Dios, mientras que luego, cuando ya se ha terminado el tiempo de gozar, es hora de recogerse en la religión y prepararse a recibir los auxilios espirituales que ella brinda. Esta es una postura tan egoísta como poco eficaz. En realidad, se muere como se vive y, sobre todo, se enfrenta uno a los sufrimientos de la vida con las mismas armas con que se afrontan las alegrías y los buenos momentos. Si no existe una relación con Cristo, fraguada también en lo bueno, difícilmente el Señor podrá servir de apoyo y consuelo cuando lleguen las malas rachas. De poco le servirá al interesado calculador, en las angustias de la enfermedad o la soledad de la vejez, escuchar consejos sobre la imitación de Cristo crucificado y menos aún recomendaciones para que se alegre, porque tiene ocasión de unir sus sufrimientos con los del Señor; probablemente contestará con una interjección al alma piadosa que le haga esas recomendaciones y exigirá a gritos, y a veces con amenazas, a ese Dios en el que nunca creyó y al que nunca antes quiso que le libre de sus dolores y que llene de compañía su soledad. Se sufre y se muere como se vive. Si has fraguado a lo largo de los buenos años una relación con Dios, ésa te sostendrá; de lo contrario, no es que Dios te niegue sus auxilios en los momentos de calvario, sino que tú no querrás recibirlos porque lo que buscas de Él no es amor y compañía, sino milagros y negocio.

Ateo y creyente ante la muerte

«La muerte es la única cosa que me aterra siempre. La odio. Hoy se puede sobrevivir a todo, menos a ella.» (Oscar Wilde)

«Vivo sin vivir en mí y tan alta dicha espero, que muero porque no muero.» (Santa Teresa de Jesús)

No sé si Wilde fue creyente o no. Quizá su fe no estuvo a la altura de sus escándalos, aunque de estos era más culpable la hipócrita sociedad victoriana que él mismo. En cualquier caso, la frase con que se refiere a la muerte es típica de aquellos que no tienen fe. Santa Teresa, al hilo de lo que muchos siglos antes de ella dijera San Pablo, expresa con su sencilla expresión castellana lo que experimentan aquellos creyentes que han logrado fraguar durante su vida una firme y gozosa relación con Dios.

Puede ser que estemos ante dos extremos y que para la mayoría las cosas no sean ni tan negras ni tan blancas. Para pocos son, desde luego, tan asépticas y frías como recomendaba el estoico emperador romano Marco Aurelio (el cual, por cierto, no dudó en ordenar una nueva persecución contra los cristianos): «Acepta la muerte de buen grado, ya que forma parte de lo establecido por la naturaleza». Más se siente en el hombre la pasión al estilo Wilde que la frialdad del filósofo que ve llegar el final con tranquilidad propia de un maestro budista.

Desde el punto de vista teórico, quizá tenga razón Feuerbach para el cual la muerte no es nada, porque solo es mientras no es, y cuando de verdad es ya no es nada. Pero este razonamiento deja tan indiferente a la mayoría como el considerar que gracias a la muerte cumplimos nuestra aportación personal al ciclo del nitrógeno. El hombre, desde que es hombre tanto a nivel especie como desde el punto de vista individual, quiere vivir. El instinto de conservación es más fuerte incluso que el instinto sexual y este no deja de ser un aspecto colectivo de aquél. El hombre desea vivir, rechaza instintivamente la muerte y por eso quiere prolongar su vida más allá del hecho físico de su desaparición en la tierra. Algunos se atreven a decir que es de este deseo de supervivencia eterna del que nace el sentimiento religioso; afirmaciones así hay que probarlas, ya que no basta con que existan ambas cosas en el ser humano –el ansia de supervivencia después de la muerte y el sentimiento religioso- para que entre las dos haya una relación de causa-efecto; también existen el hambre y la comida, y no es verdad que la necesidad de alimentarse que tiene el hombre invente la comida, sino que esta existe por sí misma y el ser humano busca entre lo que hay de alimenticio en la tierra algo que le guste o le convenga para saciar su apetito y sobrevivir. En muchos otros casos, por el contrario, la fantasía o el interés no consiguen crear el objeto deseado.

Habrá que esperar, pues, a que la muerte actúe en cada uno de nosotros para saber si la existencia de Dios y de la vida eterna se trataba de una invención de nuestros deseos o de una realidad; como se estudió en el capítulo anterior, cuando la muerte llegue y esto se experimente, solo se sabrá si existe algo si de verdad ese algo existe; si no hay nada no tendremos ocasión ni tan siquiera de darnos cuenta de la nada, por el mero hecho de que también nosotros habremos dejado de existir. Conviene, pues, incluso desde el punto de vista práctico, tener fe, ya que no solo estamos apostando sobre seguro para el caso de que haya algo, que es el único que nos interesa, sino que además nos acercamos al tránsito angustioso con la confianza de que ese algo sí existe y, sobre todo, que existe un alguien amable y bondadoso al que llamamos Dios.

Con humor lo reflejaba Rubén Darío en una de sus poesías, refiriéndose a ese cambio o conversión que suelen experimentar algunos ateos cuando ven llegar la proximidad de la muerte: «Soy un sabio, soy ateo; / no creo en Diablo ni en Dios... / (... pero si me estoy muriendo, / que traigan el confesor». Otros, como André Billy en *La terraza de Luxemburgo*, lo entendieron del mismo modo, aunque lo expresaron con menos ironía: «No hay para los pobres hombres más que una certeza en el mundo: la del sufrimiento y la muerte. Dios para los creyentes y para los escépticos la muerte».

Que no se piense, en todo caso, que la esperanza cristiana es sinónimo de brazos cruzados, de aceptación pasiva de lo irremediable. A este propósito, Martín Descalzo escribía: «La esperanza cristiana no tiene nada que ver con ese balido paciente de ovejas cobardes. La verdadera esperanza es la de quien pone cada día su mano en el arado, sabiendo -eso sí- que otra Mano sostiene las nuestras y llegará allí donde nosotros no lleguemos. La esperanza no es la simple espera a que venga alguien a resolver los problemas que nosotros debemos resolver, ni menos la aceptación cansina de injusticias que estaría en nuestras manos modificar o suprimir».

La esperanza del cristiano, especialmente ante la irremediable acción de la muerte, estará siempre basada en la roca firme de la experiencia histórica de Cristo, muerto y resucitado; una experiencia constatada y transmitida por los que fueron testigos de ella, los apóstoles; una experiencia que hacía exclamar a hombres como San Pablo, ante la amenaza de la propia muerte: «¿Dónde está, muerte, tu victoria? ¿Dónde está, muerte, tu aguijón?»

En cuanto a la muerte voluntaria, aquella que es reclamada por el individuo y que hoy tiene la versión antigua del suicidio y la más moderna de la eutanasia, creo que también ahí la religión tiene algo que decir. El cristianismo está en contra de ese tipo de muerte, porque hace a Dios Señor único de la vida; pero no se limita a efectuar una fácil condena, sino que afirma que la mayor parte de las personas que están en ese trance lo están por falta de cariño, bajo los efectos de la depresión que procede de la soledad o bajo la presión espantosa de algún tipo de dolor. Es cada vez más frecuente que cuando se acaba la calidad de vida, en una época tan poco acostumbrada a soportar el sufrimiento como es la nuestra, se quiera poner fin a una vida que ya no apetece ser vivida; es en función de esa pérdida de calidad de vida que se justifica la eutanasia.

Para evitar esa desesperación existe una alternativa a la muerte: la de volver a llenar la vida del hombre de esa calidad perdida, acompañándole, ilusionándole, aliviando sus dolores con calmantes por más que estos mengüen los días que le quedan. Se tratará también de ayudar al hombre enfermo o anciano, al hombre que sufre, a que comprenda esa profunda verdad de nuestra fe: que el sufrimiento es redentor y que el que está en la cruz es el más eficaz colaborador de Cristo en la tarea de salvar el mundo. La religión, pues, no solo quita el temor a la muerte cuando el tránsito es irremediable, sino que aporta amor a la vida cuando todavía no ha llegado la hora y es el hombre el que desea acelerar el final. Naturalmente, que para eso conviene haber llevado durante toda la existencia esa relación de confianza con Dios que se convertirá, en los momentos más difíciles, en el eje que nos sostenga y en el tablón firme al que agarrarnos cuando todo se hunda a nuestro alrededor.

Un tercer aspecto de la muerte es el que afecta a nuestros seres queridos. A veces este es peor aún que los anteriores, pues para muchos la vida ya no merece la pena ser vivida cuando nos falta esa persona a la que tanto se ha amado, en especial si la muerte ha roto el ritmo lógico de la naturaleza y el que se va es más joven que el que se queda, si el que se muere es el hijo y el que permanece vivo es el padre. Este es uno de esos momentos en que la demagogia está de más, pues en esas circunstancias el dolor es tan profundo que incluso al creyente le cuesta mucho trabajo encontrar consuelo en su fe. Pero, a la vez, ese consuelo es vital y el único que de verdad sirve. Es difícil decirle a un padre cuyo hijo ha muerto de sobredosis o de accidente de tráfico que esté tranquilo, porque su criatura está cumpliendo el ciclo del nitrógeno; te meterá las obras enteras de los filósofos por la boca a fuerza de puñetazos. Solo la fe en que hay otra vida, y que en esa vida volverán a reanudarse las relaciones que la muerte ha truncado, puede servir de consuelo a quien en ese instante se encuentra más muerto que el mismo difunto. Lamennais decía: «Largo es el camino de la humanidad y pesado su trabajo; pero, para suavizarlo, Dios le ha dado dos compañeros celestes: la fe que le sostiene y la esperanza que le consuela».

Y qué torpes somos los hombres si, por no entrarnos en nuestra cabeza la posibilidad de que Dios exista, renunciamos a esos dos vitales e imprescindibles consuelos.

En fin, creo que con esto es suficiente para dar por concluido no solo este tercer capítulo sino el conjunto que forma con el anterior. Ante la vida y ante la muerte, tanto para la cara amable como para la oscura, la fe es un arma eficacísima con la que hacer frente a los malos momentos y aumentar el grado de humanidad y de felicidad en los buenos. No es inocua, tiene un precio; tener fe, o, mejor dicho, ser tenido por la fe en Dios, implica creer en alguien que está fuera de ti y al que le debes mucho más que un simple respeto; esto puede ser un precio elevado para algunos, que no desean someter su libertad a ningún tipo de cortapisas y que quieren decidir por ellos mismos, caso por caso, lo que está bien y lo que está mal. Con todo, esa libertad que se atribuyen los ateos jamás es absoluta, pues por un lado, al no tener el sostén interno de las referencias morales objetivas, se corre el riesgo de convertirse en una veleta que se mueve al dictado de las modas; por otro lado, la libertad personal siempre está limitada por la libertad del prójimo, por su existencia, y si esta limitación no se acepta con gozo -y a eso ayuda la religión-, se termina por proclamar, con Sartre, que «el infierno es el otro» y que la única cuestión verdaderamente importante de la filosofía es la del suicidio, según Camus.

En cambio, para el creyente, para el que paga el precio de aceptar que no todo lo que no entiende es falso, la vida jamás es una aventura solitaria ni un final sin retorno. Claro que en muchos momentos tendrán que autolimitarse y no dejarse llevar por lo que le resulta más fácil; tendrá incluso que aceptar como verdaderos principios éticos que no están de moda -en la familia, en el sexo, en el dinero-. Pero ese precio, el de la fe y el de la ética, hará del creyente una persona más feliz, más consciente de sus deberes y, posiblemente, le ayudara a sacar el mejor partido posible de las circunstancias de su vida.

CAPÍTULO IV. LAS CRISIS DE FE
Y DE INCREENCIA

Conviene, a estas alturas del libro, volver al principio y, sea cual sea la postura sobre la religión que se tuviera antes de empezar, hacerse la pregunta que origina y motiva esta obra: ¿Qué es más útil, tener o no tener fe? ¿Cuál de las dos cosas contribuye mejor a extraer del hombre todo lo bueno que lleva dentro y a llevarle por el camino de la solidaridad y la felicidad? No confío demasiado en que nadie vuelva a la fe, si la ha perdido racionalmente y tras un debate interno serio y documentado, por mucho que comprenda que es mejor para él y para la sociedad creer en algo. Pero sí confío en que otros, quizá esos que están en el capítulo de los ateos prácticos, hoy llamados agnósticos, se replanteen la cuestión, vean la seriedad de la misma y se hagan la pregunta de nuevo, decidiendo quizá volver a empezar, volver a creer y a vivir según esa fe.

Si ha habido durante estos últimos años, casi siglos, un ataque a la religión y un bombardeo continuo por parte de científicos -en su día- y de filósofos hacia el hecho religioso, es hora de criticar a los críticos, de demostrar que sus argumentos eran insuficientes y nacían más de la escasa ciencia o de la voluntad de que Dios no existiera que de pruebas contra esa existencia. Es el momento también de extraer consecuencias y ver qué tipo de sociedad se ha construido y se está construyendo bajo el influjo de los «padres de la sospecha», de los «enemigos de la idea de Dios». Y eso no solo en este capítulo o en este libro, sino sobre todo en este momento histórico, con el final del siglo XX encima y el alborear de un nuevo milenio en las puertas de la historia. Creo que, en justicia y para el bien de la humanidad, es hora de que deje de estar en crisis la fe en Dios y empiece a estarlo la fe en la inexistencia de ese Dios; antes de que sea demasiado tarde.

LOS MOTIVOS DE LA CRISIS

¿Por qué ha abandonado tanta gente la fe? Quizá cada uno de los que fueron educados en la misma y luego la perdieron tenga su propia respuesta; es posible que no exista una única causa e incluso en muchos casos se tratara más de un sentimiento difuso que de una opción formal fruto de un doloroso debate interno. De todo hay. Pero veamos algunos de los principales motivos para poder argumentar sobre ellos.

Posiblemente, la causa que más ateos o agnósticos ha producido es la de que no estaba de moda tener fe. En el concepto moda no incluyo el de la veleidad a la hora de vestir o de opinar, sino algo más amplio y confuso, menos definible, que está en el ambiente y que impregna sin darnos cuenta nuestras decisiones y nuestros gustos. En cierto momento de nuestro pasado reciente. por ejemplo, en las décadas de los sesenta y setenta, tener fe no era «progresista», no era «moderno», casi no era «democrático», no era sinónimo de estar a la altura de los tiempos. El que, a pesar de ello, mantenía su creencia solía hacerlo de manera escondida, vergonzante y, casi siempre, se alejaba de la práctica religiosa porque esta era aún más criticable que la fe en sí, ya que los principales denuestos iban dirigidos contra la Iglesia y contra sus representantes, a los que se les veía muy relacionados con el poder político.

¿Es progresista la fe? Dependerá del concepto de progreso que tengamos. Si por progreso se entiende, por ejemplo, la posibilidad de matar al no nacido con impunidad o de hacerse rico a costa del bolsillo de los contribuyentes,-si por progreso se entiende la ausencia de toda norma objetiva de moralidad y la disolución de la ética en una moral confusa que cada uno se hace a su antojo, entonces tener fe en un Dios que establece seriamente unos principios de bien y de mal es algo claramente antiprogresista.

Pero es radicalmente falso que sea progreso el aborto o la eutanasia; es muy cuestionable que sea «progreso» aprovecharse de los cargos públicos para enriquecerse y utilizar el dinero de todos para llenar las propias arcas; es, por lo mismo, muy dudoso que se pueda considerar como progreso la multiplicación de rupturas matrimoniales y los traumas que tienen que afrontar los hijos al ver cómo sus padres anudan y tronchan sucesivas relaciones de pareja. En fin, que el concepto de «progreso» que hoy se emplea es bastante ambiguo y discutible. Progreso sería, por ejemplo, que la humanidad estuviera yendo hacia una mayor solidaridad; que en las cuentas públicas hubiera cada vez más transparencia y honradez; que el mundo hubiera superado ya los conflictos armados y los desastres provocados por las hambrunas; que en los casos personales conflictivos, como en el aborto o la eutanasia, se ofrecieran soluciones solidarias y viables para que la mujer no se viera forzada a abortar y el enfermo pudiera encontrar el cariño que necesita para desear seguir viviendo. Progreso es todo lo que contribuye a hacer una humanidad mejor, tanto en lo técnico como en lo moral; lo demás es retroceso y arcaísmo, volver a la época de las cavernas o aún más atrás, al canibalismo; es volver al momento en el que el hombre debía desconfiar de su vecino porque este era tan caníbal como él y se lo podía merendar sin ningún remordimiento de conciencia.

Así pues, creo honestamente que si alguien, en las décadas antes citadas o aún ahora, se separó de la fe o de la práctica religiosa debido a que las consideraba un impedimento para el progreso de la humanidad o para el suyo propio, con honradez debe analizar si lo que se ha construido desde entonces se puede calificar de mejor que lo que se tenía. No me refiero a la democracia, ni tampoco a la no confesionalidad del Estado y mucho menos a los avances tecnológicos; me refiero al estilo de vida social que se lleva en su conjunto y que no es el propio de una civilización cristiana, sino el de una atea; vivimos, cada vez más, en un Estado policial, en el que deben multiplicarse sin cesar los sistemas de seguridad públicos y privados, ya que al desaparecer el control individual que sobre cada uno ejercía su propia conciencia religiosa, solo el miedo a enfrentarse con la justicia frena a muchos y les impide cometer delitos; cierto que estos son una minoría, pero son una minoría cada vez mayor y ahí están los desmanes producidos por grupos de jóvenes incontrolados –llámense skins, maras, «cabezas rapadas», «neonazis» o cualquier otro apellido con que se identifican las tribus urbanas-. El mundo sin Dios, el mundo en el que Dios fue dejado de lado y dado por muerto porque no servía para el progreso de la humanidad, es un mundo menos habitable y menos solidario. Cierto que hay infinidad de cosas que van mejor, incluso en el campo de los derechos humanos; cierto también que hay mucha buena gente que se mueve y se pone al servicio de las mejores causas. Pero, en líneas generales, las diferencias entre ricos y pobres a escala mundial no parecen disminuir, lo mismo que no parece haber más felicidad en las sociedades consumistas, en las cuales junto al nivel de vida crece también la soledad. Esto debería servir como examen de conciencia a aquellos que, con honradez, se separaron de Dios, porque creían que estaba reñido con el progreso del hombre. Lo mejor de ese progreso se hubiera producido también, porque en otras épocas de la Historia se avanzó sin tener que dejar a Dios de lado; la diferencia está en que el progreso técnico hubiera ido a la par con el progreso moral, mientras que ahora parece ir cada uno por su lado.

El grupo más numeroso de ateos-agnósticos, dentro del sector de los que abandonaron la fe porque no era «progresista» tenerla, lo compuso, con todo, el de aquellos que se marcharon por comodidad. Naturalmente que eso no se confiesa así, de buenas a primeras, sino que se camufla con otro tipo de objeciones: la misa es un rollo, los curas son unos carcas, la Iglesia está atrasada e impone leyes imposibles de practicar hoy en día. El fondo era que se experimentaba la religión como un corsé que impedía disfrutar a tope de lo que el nuevo estilo de comportamiento social permitía. En una sociedad como la pasada, en la cual la moral pública coincidía en buena medida con la moral cristiana, no se hacían ciertas cosas no solo por respeto a la fe, sino también por el qué iban a decir los demás, con el consiguiente riesgo a ser marginado por el conjunto social en el que se vivía. Esta presión social era mucho mayor en los núcleos pequeños de población que en las grandes y anónimas ciudades. Cuando esta presión social desapareció y los avances técnicos permitieron al hombre disfrutar más de la vida, la religión se convirtió, para muchos que la practicaban por miedo al que dirán, en una institución molesta, con su estúpida obligación de someterte a un control semanal en los templos y su pretensión de que tenías que actuar en consonancia con unas normas morales que no podías controlar por ti mismo. Y por eso se fueron.

Ha llegado la hora de ver si la comodidad elegida como máximo ideal, si la ausencia de todo compromiso y la inmersión en una individualidad extrema que nos lleva a preocuparnos de nosotros mismos y casi de nadie más, está produciéndonos la felicidad que buscábamos. Lo primero que hay que constatar es la falsedad del binomio comodidad-felicidad. Lo cómodo es, desde luego, seductor y agradable, pero termina por producimos agotamiento si hemos hecho de ello el criterio máximo que regula nuestro comportamiento. Ahora tenemos más televisiones que antes y nos aburrimos igual, con la única diferencia del entretenimiento que supone el mando a distancia; tenemos la casa más llena de aparatos que nunca y en cambio sigue costando discusiones domésticas que alguien haga algo de lo que es común en las labores del hogar; es más fácil desplazarse gracias al acceso que la mayoría tiene a la posesión de un automóvil, pero las carreteras no dan abasto para acoger a tantos vehículos; hay más tiempo libre y se avanza hacia la civilización del ocio, pero las cotas de aburrimiento son también mayores que nunca. Personalmente estoy a favor de todo lo que haga la vida del hombre más agradable, confortable y cómoda, pero no creo que en eso esté el secreto de la felicidad.

La felicidad está unida al amor y desde luego reñida con el egoísmo. Por eso, todo aquello que estimule el amor contribuirá a la felicidad del individuo, de la familia y de la sociedad; en cambio, lo que nos sumerja en nuestros caprichos y estimule nuestros egoísmos, no hará sino separarnos del camino de la felicidad, por más que a primera vista parezca que nos está aliviando la vida. Si todavía les queda un mínimo de capacidad de reacción a los que, por comodidad, optaron por separarse de la Iglesia, deberían plantearse si la pertenencia a una institución que solo tiene como fin animar a la gente a que sea mejor cada día no les supondría una rentabilidad mayor para lograr la felicidad, si es que es eso lo que buscan.

Cierto que tendrán que invertir algo y deberán renunciar a una hora de los domingos, además de asumir pequeños y frecuentes esfuerzos para pensar en los demás y no solo en sí mismos; a cambio, quizá en su hogar haya menos gritos y tensiones, es posible que engorden menos y hasta que se les desempolven las neuronas leyendo más y viendo menos la televisión. Eso sin descartar que les puede mejorar el carácter, pueden ver estimulado su sentido de la responsabilidad y con él las ganas de trabajar o de estudiar, con lo que aumentarán sus posibilidades de rendir más en los estudios o de subir algún peldaño en la empresa.

«La Iglesia no nos hace muy buenos, pero nos impide hacernos muy malos», decía Bonald, con bastante sentido común. El cristianismo no hace más que estimular al hombre para que dé de sí todas las posibilidades que lleva dentro, para que rinda según los «talentos» que Dios le ha dado; eso les cuesta mucho a los vagos y temo que el afán de comodidades esté haciendo de nuestro mundo una sociedad de perezosos, pero creo que puede llegar el momento en que incluso estos comprendan que de manos de la inercia y el egoísmo no se va a ninguna parte y que las inversiones en buenas obras y en poner a punto la conciencia son altamente rentables para lograr la verdadera felicidad.

Vayamos ahora con los, supuestamente, «auténticos» intelectuales. Esos que creyeron honradamente a Feuerbach, a Marx, a Freud, a Nietzsche, a Sartre o a cualquier otro de los muchos profetas que desde las más diversas ideologías han ofrecido al hombre un mundo ideal en el que no cabía Dios. Esos que hicieron del «progreso» y del secularismo su bandera, bajo la que militaron con ardor, queriendo acabar con el oscurantismo que para ellos representaba la fe. Me produce estupor ver cómo, tras la caída del marxismo, no se ha alzado un clamor estruendoso de voces de arrepentimiento por parte de los muchísimos intelectuales que hasta 1989 estaban preconizando esa ideología como el modelo de futuro y de progreso para la humanidad. Aquí parece que el único que fue capaz de pedir perdón es el Papa, que ya lo hizo por el caso «Galileo» y por las responsabilidades que tuvieron sus predecesores en el asunto de la

Inquisición al entrar en el tercer milenio. ¿Es que no se sabía, antes de que la caída del Muro de Berlín mostrara las vergüenzas de lo que detrás se escondía, que los «gulags» existían y que en ellos habían sido arrinconados y asesinados millones de personas? ¿Es que los veneradores de Mao no sabían que tan solo en la Revolución Cultural murieron treinta millones de seres humanos? ¿Es que se ignoraban en Occidente, y por parte de los grupos ecologistas especialmente, que el sistema productivo soviético estaba esquilmando inmensas extensiones de terreno? ¿Por qué no se protestaba cuando los creyentes eran conducidos a los campos de concentración simplemente por tener fe? ¿No eran ellos seres humanos, o es que solo tienen derechos los que están en línea con lo que la moda considera progreso?

Hay demasiados interrogantes gravísimos en el ambiente para que, quienes han secundado ideologías tan monstruosas, puedan permanecer impasibles. Cierto que muchos creyeron en ellas de buena fe y hasta dieron su vida por su éxito, confiando en que de verdad defendían la causa de los pobres y de los obreros. Cierto también que esas ideologías defendían algunos elementos positivos y nobles, con los que ocultaban sus taras y lacras. Pero, ¿y los intelectuales? ¿Y los teóricos que viajaban a las naciones del socialismo real y veían lo que a los turistas no les enseñaban? Incluso filósofos que tuvieron que huir de la estrechez del sistema marxista, como Bloch, que se tuvo que refugiar en la Alemania occidental, no fueron capaces de criticar a fondo lo que estaba pasando y creyeron que se debía a que los errores humanos impedían aplicar el sistema en su pureza original.

Pues bien, ¿cuántos abandonaron la fe en Dios porque creyeron de verdad que tenerla era participar en el opio del pueblo? Quizá no fueron muchos, pero probablemente fueron de los mejores, de los más generosos y nobles, idealistas y valientes. ¿Qué se hizo de ellos?

¿Dónde están ahora sus ilusiones al ver lo que hacían sus correligionarios en las naciones donde podían aplicar sin trabas sus teorías? Por eso digo que es hora de volver a la casa paterna, a una casa en la que no se anima a nadie a que se inhiba de los problemas ajenos, sino en la que, por el contrario, continuamente se estimula a cada uno para que cargue con su cruz y con un poco de la cruz del vecino.

Pero también puede ser que se hayan utilizado las bellas intenciones de cambio del mundo como excusa para no cambiarse uno mismo y no poner toda la carne en el asador a fin de mejorar lo que está a tu alcance; qué razón tenía Martín Descalzo en ese caso para escribir este duro análisis de muchos revolucionarios de salón: «Me temo que muchas de nuestras peticiones de cambio del mundo no sean sino una coartada para esquivar nuestro fracaso a la hora de cambiarnos a nosotros mismos y que un alto porcentaje de las acusaciones de inhonestidad que hacemos a los demás no sean otra cosa que un autoengaño para no mirarnos en el espejo de nuestra propia inhonestidad».

Si esto es así, si los anhelos de un mundo justo eran pura pantalla y puro cuento retórico, será muy difícil que se produzca la conversión; esta, en cambio, será siempre posible si las causas que alejaron al hombre de Dios fueron las de creer con honestidad que la religión impedía al ser humano luchar por instaurar aquí en la tierra un mundo más justo.

Hay otro grupo de teóricos. Son hijos de Nietzsche. Antes se llamaron nazis y su abanderado, Hitler, utilizó la teoría del superhombre para identificarla con la del superpueblo y hacer creer a los alemanes que ellos eran la raza elegida que debía dominar el mundo. El saldo de aquella aventura fue la Segunda Guerra Mundial, con las consecuencias de destrucción que supuso en su día y que dejó coleando tras de sí durante decenios.

Si aquella teoría del superhombre se ha comprobado socialmente peligrosa, ¿por qué los intelectuales no se revolvieron contra uno de los aspectos de la misma, el que desautorizaba a la religión como producto creado por los débiles para justificar su opresión y amenazar a los fuertes con la historia de la otra vida? No logro entender cómo no se sacan todas las consecuencias de los hechos, sobre todo cuando estos son tan aparatosos y evidentes. Un loco, un iluminado, un «genio», monta una filosofía que es causa de inmensos desastres y en lugar de repudiar esa filosofía en su conjunto se desmonta solo un aspecto de la misma y ni siquiera el más importante.

Porque lo grave de las tesis de Nietzsche es que siguen vigentes y no me refiero solo a los repuntes del nazismo en Europa, sino a otro tipo de aplicación de la teoría del superhombre. Hoy este espécimen se viste con la ropa del *yuppy*, del «tiburón» de las finanzas, del comerciante o ejecutivo sin escrúpulos que tiene que triunfar a costa de lo que sea. Al no haber profundizado en la crítica de las tesis de Nietzsche, se ha dejado dentro de la conciencia colectiva de la humanidad la raíz del mal y esta está floreciendo de nuevo con un ramaje diferente. El nuevo superhombre es un hombre sin Dios, porque no quiere tener otra ética que la del éxito y por eso la conciencia religiosa le molesta muchísimo. Desea imponer un nivel moral en el mundo que sea absolutamente *light*, porque los hombres acostumbrados a la molicie y a la comodidad son más fáciles de manejar y se adaptan mucho mejor a las exigencias de los nuevos amos. ¿Cómo se explica, si no, que millones de personas aprueben hoy lo que hace poco veían como una monstruosidad -me refiero al aborto- o que sigan votando a líderes políticos que están evidentemente corruptos?

Solo se puede entender esta abdicación de la racionalidad por la manipulación de las conciencias que se hace a través de los medios de comunicación, manipulación tanto más fácil de conseguir cuanto más manipulable sea el producto, el ser humano. El superhombre, el controlador, el gran inquisidor de nuestros días, es el que ha roto con toda referencia religiosa para suplantar a Dios y ser él quien decida lo que está bien y lo que está mal; después, hace digerir a los sumisos y acomodados hombres sobre los que impera, los criterios morales que más le convienen en cada momento, haciéndoles pasar, de la noche a la mañana, del «Hosanna» al «Crucifícalo» como ocurrió con Cristo. La mejor manera de luchar contra él, de evitar que surja un nuevo Hitler que conduzca a la humanidad a desastres sin cuento, es mantener un nivel de conciencia objetivo en cada hombre; ese hombre será fiel a Dios y a Él ciertamente le deberá obediencia, pero gracias a eso no hincará la rodilla ante ningún ídolo que le va a explotar y denigrar, mientras que la fe en Dios le eleva y dignifica. Jiménez Lozano dice: «Lo mejor del cristianismo como fenómeno cultural es que su estricto monoteísmo le relativiza todo lo demás: categorías y existencias, y ya no le quedan al cristiano tragaderas para pasar ruedas de molino».

Los que aspiran a superhombres, los que creen que Dios no tiene nada que decir al mundo de los negocios, o al mundo del sexo, o al mundo de la política, tendrían que meditar sobre las consecuencias de sus acciones. ¿Qué mundo están intentando construir? ¿Cuáles son las consecuencias de negociar sin ética -como si Dios no existiera-, o de mantener relaciones sexuales a la ligera o de gobernar al margen de toda referencia moral objetiva? Alguno dirá que existe la ética civil, la moral consensuada por los grandes organismos internacionales; es cierto que merece loa y respeto el conjunto de valores integrados en la Declaración Universal de Derechos Humanos, que actúa a modo de ley natural válida para todos al margen de su religión o increencia, pero también es verdad que son poquísimos los hombres que dejan de robar, de mentir, de matar o de traicionar las promesas de fidelidad dadas al otro cónyuge porque lo diga la ONU o porque lo haya escrito tal o cual autor en un libro de moda.

«La conciencia sin Dios es un error que puede extraviarse hasta convertirse en un pozo lleno de crímenes», decía Dostoievski; no afirmaba el escritor ruso, ni yo tampoco, que forzosamente se extravíe, pero sí que es más fácil que suceda. Como Dostoievski han pensado también muchos otros; Rousseau llegó a afirmar que «la experiencia demuestra que el hombre no puede ser virtuoso sin religión» y quizá lo decía por experiencia propia. Cánovas del Castillo llegó más lejos: «Para esos que admiten solo la naturaleza, no hay otra moral, a la larga, que la que cabe en el código penal, y aún esta ha de guardarse allí muchas veces en vano».

En todo caso, arrancada del interior del ser humano la conciencia religiosa, este se convierte en una presa fácil en manos de los «ciudadanos Kane» y demás tiburones que aspiran a ser superhombres; estos, por otro lado, no se dan cuenta de que también ellos pueden ser victimas de un sistema que han contribuido a formar y que sus hijos, o ellos mismos, padecerán mañana las consecuencias de vivir en un mundo sin Dios, en un mundo en el cual la única ley que cuenta es la de que el pez grande se come al chico, y casi siempre hay un tiburón más grande que otro.

En todo caso no me gustaría vivir en un mundo como el que, quizá con tintes demasiado sombríos, pintó el premio Nobel Alexis Carrel: «El sentido religioso ha sido eliminado de la vida moderna. La actividad mística ha sido desterrada de la mayor parte de las religiones. El hombre moderno es un ser blando, sentimental, lascivo y violento, sin sentido moral, estético ni religioso». Para evitar que eso ocurra, conviene que todos los que sean conscientes de cuáles son las causas del problema se sientan llamados a poner remedio, a volver a establecer una relación amistosa con ese Dios al que un día abandonaron porque era demasiado exigente o porque consideraban que impedía al hombre realizarse en su plenitud.

EL ANTES Y EL DESPUÉS DE LA «VUELTA A CASA»

Toda «conversión», bien sea de la fe a la increencia o al revés, está precedida por un «antes» y seguida por un «después». Aunque los procesos sean tan distintos como variados los caracteres de las personas, no deja de haber cierta «caída del caballo», un momento en el que se comprende que ha llegado la hora de dar el paso y de hacerlo con todas sus consecuencias.

Naturalmente, este momento es tanto más difícil cuanto más comprometido se encuentre uno con la situación que se desea abandonar; por muy fácil que sea siempre cuesta un poco, por lo que hay que hacer un esfuerzo para vencer la inercia que nos invita a seguir donde se estaba sin más motivos para ello que la pereza mental.

Conviene ahora ver algunos de los síntomas que se experimentan cuando se comprende que hay que modificar el planteamiento acerca de la religión.

Quizá la primera impresión que tiene el no creyente es la de sentirse atraído y repelido a la vez. Atraído por la necesidad que siente de llenar su vida con algo espiritual y superar el burdo materialismo en el que se encuentra inmerso. Rechazado, en cambio, por la estructura, por la jerarquía de la Iglesia, por el montaje que desde fuera se ve como opresivo y anticuado. A este propósito es aleccionador el proceso de conversión de una pareja de filósofos franceses, el matrimonio formado por Jacques y Raisa Maritain;

cuenta ella en el libro *Las grandes amistades* que, cuando su amigo Leon Bloy los puso en contacto con la fe cristiana, se sintieron profundamente fascinados, pero que cuando pensaban en recibir el Bautismo e ingresar en la Iglesia se sentían tremendamente incómodos; era un corsé demasiado pequeño para ellos, acostumbrados durante años a ser almas libres que volaban donde querían y que ahora en ese vuelo habían recalado en las claras aguas del Evangelio. Al final, dice la autora, tuvieron la impresión de que estaban perdiendo el tiempo y uno le dijo al otro algo así: si hubiéramos encontrado una perla valiosa y supiéramos que está en un lodazal, ¿dudaríamos acaso en metemos dentro para rescatarla, a pesar del asco que nos produce el contacto con la basura?

Es, en el fondo, lo que nos enseña aquella parábola del Evangelio en la que Cristo habla del hombre que descubrió un gran tesoro escondido en un campo; no dudó en vender lo que tenía para comprar el terreno y hacerse con el tesoro, aunque los que le veían hacer el negocio, sin saber lo que escondía el terreno, no entendieran su comportamiento.

Suele suceder, además, que «no es tan fiero el león como lo pintan», y que muchas de las prevenciones que se experimentan hacia la Iglesia se desvanecen cuando se la ve de cerca. Esta es la experiencia de muchos conversos, entre ellos la ya citada pareja de filósofos franceses. Cuando se ha estado lejos de algo durante mucho tiempo, sin querer se ha ido haciendo un estereotipo de ello que fácilmente no coincide con la realidad. Cuando, después de hacer un esfuerzo, te acercas, ves que las cosas tienen tonos más dulces y contornos menos agresivos de lo que te habían pintado. En la Iglesia, concretamente, hay mucha más libertad que en la mayoría de los partidos políticos y no digamos que en la práctica totalidad de las empresas. Es cierto que hay un dogma en el que creer y que hay unas normas morales objetivas que no pueden ser alteradas, pero es que eso, como se ha visto, es la mejor garantía que tiene el hombre para evitar ser instrumentalizado por aquellos otros que desean ocupar el lugar de Dios en su corazón y que la manipularán mediante los medios de comunicación a fin de hacerle dar por bueno lo que ayer daba por malo.

Conviene recordar la conversión al catolicismo de un famoso clérigo anglicano inglés, John Henry Newman. En el brindis de la cena ofrecida a sus amigos para comunicarles su decisión de hacerse católico, sabiendo que algunos de ellos consideraban que hacer tal cosa era renunciar a la capacidad de pensar y decidir por sí mismo, Newman alzó su copa y brindó, en primer lugar, por el Papa, y a continuación por su conciencia. Y en otras ocasiones, el fino humor inglés que poseía le hacía decir que para entrar en la Iglesia católica no era necesario cortarse la cabeza, pero sí quitarse el sombrero. Es decir, basta con asumir que se participa de una experiencia colectiva y que precisamente uno de sus mayores atractivos es el de ofrecer al hombre de hoy un punto de referencia firme y seguro ante la grave crisis de permisividad que padecemos.

Si el rechazo a la Iglesia es una de las «patologías» del «antes» de la conversión, otra puede ser el temor a que cuando llegue el momento tu nueva comunidad te trate como a un recién llegado, como a alguien que es extraño y sospechoso, como a alguien que procede del mundo del pecado. Es preciso recordar entonces otra parábola, una de las más hermosas de cuantas fueron narradas por Jesús, la del «hijo pródigo». El padre de la parábola, símbolo del Padre del cielo, no solo no echa ninguna bronca al muchacho arrepentido que vuelve a casa con las orejas gachas, sino que organiza una fiesta para brindarle la mejor acogida; cierto que el hermano «bueno», que se había quedado en casa, pone mala cara, pero el padre en seguida le

reprocha su actitud y no consiente que al que llega arrepentido nadie
le saque los colores. Es curioso, además, que en esa parábola el hijo
pródigo no decida el regreso por haber comprendido que se ha por-
tado mal con su padre, sino simplemente porque le están yendo mal
las cosas fuera de casa y añora poder comer los platos que en la casa
paterna servían a los criados; esto puede servirnos también de enseñanza, pues a veces creemos que la conversión tiene que producirse por una evolución intelectual altruista y aséptica, mientras que
el Señor no rechaza a nadie, ni siquiera a los que vuelven, porque
fuera hace frío y en la casa del padre se está mejor que en la calle a
la intemperie.

Otro temor típico de las situaciones previas a la conversión es el
de creer que al volver a la fe, o a la práctica religiosa, se te van a imponer un gran conjunto de exigencias de todo tipo que prácticamente
te van a agobiar la vida. Quieres sentirte lleno de algo y sabes que ese
vacío solo lo puede colmar Dios, pero temes que un alud de detalles
termine por asfixiar más que satisfacer tus deseos. Conviene, como
se verá en otro capítulo, elegir bien en ese caso el guía espiritual tan
de moda en las religiones orientales y tan de moda también antes
entre los cristianos. Conviene, en todo caso, saber discernir entre lo
fundamental y lo accesorio, y defenderse ante las pretensiones de algunos «cristianos viejos» que quieren imponer a los demás sus devo-
ciones haciéndolas pasar por condiciones necesarias. Para ser amigo
íntimo de Cristo, es decir, para ser santo, lo único que cuenta es amar.
En la Iglesia de hoy, lo mismo que en la de ayer y en la de siempre,
sigue siendo válido aquello de San Agustín de «Ama y haz lo que
quieras», por más que el concepto «amor» deba ser entendido correc-
tamente y no como a veces lo entiende el mundo.

Por último, a veces la persona que ha estado lejos de Dios, pero
que ha bebido en las fuentes de la ciencia y de la cultura profana

una sabiduría que, si bien ha sido incompleta, le ha producido un notable nivel cultural, puede temer que la conversión le suponga la ruptura con la capacidad de pensar por sí mismo no ya en asuntos morales, como en el caso citado del anglicano Newman, sino incluso en asuntos científicos, culturales o políticos. No hay que tener miedo a esa dictadura del pensamiento o estrechez de miras que algunos creen que es típica de la Iglesia. Isaac Newton, el que formuló por primera vez la fuerza de la gravedad y, que era un gran físico y un notable matemático, dijo: «Un astrónomo o un anatómico no puede ser ateo». Resulta casi imposible que la ciencia separe a alguien de Dios, porque cuando algo se presenta como debidamente probado -y no solo como una hipótesis de trabajo que aún tiene que demostrarse-, es la teología la que debe adaptarse a lo que la ciencia enseña y no al revés. Pascal afirmaba: «La fe dice en verdad lo que los sentidos no dicen, pero no lo contrario. Está por encima, mas no en contra».

En cuanto a la cultura, ¿cree alguien que hoy el Papa o un obispo desea imponer a un pintor un estilo determinado o a un escritor un tema a desarrollar? Cierto que en el mundo de los negocios sí hay algo que decir en lo que respecta a los valores éticos; cierto también que es ahí donde más se juega el hombre su compromiso con una fe que le va a forzar a tratar a los demás como a seres humanos y no como a objetos de los que solo cuenta lo que puede extraer de ellos. Pero ya hemos visto que esas mismas exigencias morales pueden ser beneficiosas no solo para el conjunto de la sociedad o para el pobre y el obrero, sino también para los mismos «tiburones», que a fuerza de serlo pueden terminar cazados en sus propias trampas; ahí están, para confirmarlo, los recientes escándalos que han salpicado a grandes nombres de las finanzas, que hasta poco antes de su caída parecían dioses inaccesibles de los que los jóvenes debían tomar ejemplo para poder triunfar algún día. Por lo demás, Juan Pablo II ha delimitado perfectamente en sus encíclicas sociales la parte de teoría capitalista que se puede asumir sin problemas de conciencia y aquella otra que es rechazable; esta, en realidad, no forma parte ya del capitalismo, sino de eso que se llama neocapitalismo o capitalismo salvaje, el cual está haciendo estragos en el mundo tras la caída de su clásico competidor, el marxismo.

Por último, si lo que preocupa es la coacción política por parte de la jerarquía de la Iglesia, basta con poner el ejemplo de nuestro país, donde el Episcopado se limita a indicar algunos valores fundamentales que deben ser defendidos con el voto, pero donde nunca se dice a quién se debe votar o a quién no se debe votar. Se supone que cada cristiano con capacidad de votar es lo suficientemente maduro como para saber, a la vista de las orientaciones siempre amplias de los obispos, lo que deben hacer. Se anima, eso sí, a los creyentes a que participen en partidos y a que intervengan en las elecciones con su voto, pero sin aconsejar hacia dónde tiene que dirigirse ese compromiso y cuidando mucho de que ningún grupo político pueda atribuirse en exclusiva la etiqueta de «cristiano».

En cuanto al «después», pocos son los que no han experimentado la sensación placentera de estar de nuevo en casa, de que no era tan difícil dar el paso y de que se ha recuperado el gusto por las cosas sencillas de la vida a la vez que un nuevo horizonte de estímulos positivos y de esperanza. Suele suceder, además, que cuando se mira atrás se da uno cuenta con cierto temor de lo que habría sucedido si no se hubiera dado el paso de la vuelta a Dios; lo que habría pasado es que uno se hubiera podido perder para toda la eternidad la enorme felicidad de saber que existe alguien para quien tú eres muy importante, que ese alguien es Dios y que te ama tanto que ha dado la vida por ti.

Los «porqués» de la conversión

Vistos ya los «miedos» que impiden dar el paso o que lo frenan, hay que ver cuáles son los motivos por los que, después de tanto tiempo y a veces después de toda una vida, hay gente que se plantea dar el paso de la fe.

El motivo fundamental, base de todos los demás, es la necesidad de Dios, la necesidad de un «algo» que llene el vacío que llevamos dentro. Ese vacío, curiosamente, no queda satisfecho con las comodidades que ofrece la sociedad del bienestar en la que estamos inmersos, aunque durante algún tiempo pueda «entontecen» el alma y dejarla reducida a un estado de inoperancia que deja al ser humano en condiciones de pura animalidad instintiva. Podemos hacernos conscientes de ese vacío de muchas formas, e incluso podemos darle diversos nombres; cada persona tiene su momento, y para unos será la muerte de un ser querido la que les haga plantearse la fragilidad de la condición humana, mientras que para otros será una enfermedad, un fracaso o también un éxito lo que les lleve a pensar si todo eso es lo máximo que la vida puede ofrecerles.

Dentro de esta llamada a lo trascendente, creo que la muerte juega un papel primordial, aunque esta haga pensar más a los adultos que a los jóvenes. Es una lástima, como denunciaba el escritor francés Julien Green, que el clero esté dejando de lado el tema de la muerte en sus homilías. No se trata de amenazar o amedrentar a nadie, pero sí de poner delante de los ojos de los hombres, al menos de vez en cuando, una realidad de la que ya nadie habla: que todo pasa y que el final llega, nos guste o no, y que con ese final la representación de este mundo se termina. Escuchemos al escritor dar su queja: «El gran pecado del mundo moderno es el rechazo de lo invisible. El sacerdote ya no predica sobre las realidades últimas. Nos habla de problemas sociales, lo cual está muy bien, pero casi nunca del paraíso, del purgatorio, ni del infierno. Ya no se cree. Yo me pregunto, ¿en qué cree él?»

Otro gran escritor francés, también católico convencido como Green, Jean Guillot, dedicó un libro entero, *Silencio sobre lo esencial**, al asunto de la omisión por parte de los sacerdotes de las grandes verdades del más allá, en lo que considero una reacción típica a la acusación marxista de que la Iglesia se preocupaba exclusivamente de la otra vida y no educaba a los creyentes a transformar y mejorar esta. Sea como sea, la realidad de la muerte es algo que está ahí y que se hace presente en la vida de cualquiera, ayudándonos a plantearnos la fragilidad de esas cosas a las que hemos dado tanto valor y en las que tanto hemos creído.

La atracción por lo espiritual, por lo trascendente; la meditación sobre la finitud de las cosas, incluida la realidad insobornable de la muerte; pero no acaban ahí los motivos. Está, o debería estar al menos con una gran fuerza, el ejemplo de los cristianos. De hecho, en el libro de los Hechos de los Apóstoles se dice que los paganos se convertían al ver el testimonio de los primeros cristianos, de los cuales decían: «Ved como se aman». No siempre sucede así. El mismo Gandhi, honesto buscador de la verdad como era, se interesó muchísimo por el cristianismo, pero se decepcionó al ver la forma de comportarse de muchos cristianos. Son significativas sus siguientes palabras: «Cuando leo el Evangelio me siento cristiano; pero cuando veo a los cristianos hacer la guerra, oprimir a los pueblos colonizados, enriquecerse, beber alcohol y fumar opio, me doy cuenta de que ellos no viven según el Evangelio».

A veces, el mal ejemplo procede de los mismos sacerdotes, que deberían servir de testigos privilegiados de cómo se vive la fe. Por

---

* Edicep, Valencia, 1988.

suerte, la mayoría de los creyentes y aun de los no creyentes, comprende que no es a los hombres a los que hay que seguir, sino a Cristo. Sería preferible, con todo, que el buen ejemplo fuera la bandera que ondeara siempre en el corazón de cada cristiano, aunque en realidad si la condición para ser admitidos en el cristianismo fuera la perfección, quizá muchos deberíamos permanecer fuera, porque personalmente nos falta demasiado para alcanzar la santidad. Así pues, que el buen ejemplo nos atraiga y que el malo, cuando se presente, nos ayude a comprender que tenemos sitio en la Iglesia también nosotros, que somos pecadores, al ver cómo ha dado cabida a otros que son de la misma carne que nosotros.

Esto no significa que no existan buenos ejemplos en la Iglesia en los que podamos encontrar un apoyo y un estímulo. Algunos son ya típicos, como es el caso de la Madre Teresa de Calcuta, Premio Nobel de la Paz por su acción a favor de los moribundos en la India. Otros son menos conocidos. Julio Eugui recoge en su libro *Nuevas anécdotas y virtudes**, algunos casos de conversiones que tuvieron como punto de partida el buen hacer de los cristianos. Escribe lo siguiente:

«El escritor y profesor de historia en Virginia, Sheldon Vanauken, ha narrado el largo y complejo itinerario de su conversión al catolicismo. Entre el conjunto de factores que le fueron acercando a la Iglesia, desde un ateísmo satisfecho, hay un detalle que merece la pena destacar: estudiando en Oxford trató con varios compañeros cristianos e hizo buena amistad con ellos; pues bien, halló en todos una alegría sorprendente: «Los no cristianos -ha escrito- solían estar contentos, gastar bromas y ser felices cuando las cosas les iban bien, pero no había encontrado a menudo aquella alegría

---

* Rialp, Madrid, 1995

serena.» Por aquel tiempo hizo una anotación en su diario: "El mejor argumento del cristianismo son los cristianos: su alegría, su seguridad, su... estar llenos"».

También puede servir de motivo para la conversión meditar sobre la frivolidad de la propia vida y el triste fin que nos espera cuando se nos acaben los recursos que nos brinda la juventud o el dinero. En este contexto de «vida disipada» o de bohemia exultante, se han producido algunas de las más hermosas conversiones. Una que me apasiona sobremanera es la del poeta judío -ateo en el momento de su conversión- Max Jacob. La describe magníficamente Carlos Pujol en su libro *Siete escritores conversos**. Jacob vivía en París a principios de siglo. De él decía Picasso que era «el mejor poeta del siglo», lo cual no le impedía ser bebedor y drogadicto. Este típico representante de la bohemia parisina de los felices años veinte vio un día a Dios en la pared de su casa y otro día le vio en el cine. Él mismo describe así su primer contacto extraordinario con la divinidad:

«Cuando levanté la cabeza había alguien en la pared. ¡Había alguien! Mi carne se derrumbó, sentí que el rayo me desnudaba. ¡Oh, segundo imperecedero! ¡Ah, verdad, verdad! El cuerpo celestial en la pared de mi pobre cuarto. ¿Por qué, Señor? ¡Oh, perdóname! Está en medio de un paisaje que dibujé tiempo atrás, pero es Él. ¡Qué belleza, qué elegancia, qué dulzura! Lleva una túnica de seda amarilla con bocamangas azules. Se vuelve hacia mí y veo su cara serena y deslumbrante».

Naturalmente que nadie creyó a Max Jacob cuanto habló de su visión. Ni sus amigos de juergas, Picasso incluido, ni los curas de la parroquia a donde acudió para bautizarse y para pedir ayuda a fin de cambiar de vida. Pensaron que era una alucinación o el efecto de las

---

*Palabra, Madrid, 1994

drogas o del vino. Pero lo que él había visto no se podía borrar de su retina, como tampoco se podía borrar el efecto que le había producido:

«Un inefable bienestar descendió sobre mí, permanecí inmóvil, sin comprender. En un minuto viví un siglo. Creo que todo me fue revelado. En un instante tuve la noción de que siempre había sido solo un animal y que ahora me convertía en un hombre. Un animal cobarde. Un hombre libre. Me sentí lleno a rebosar por dos palabras: morir, nacer».

La visión se repitió cinco años más tarde, cinco años en los que por más que Max Jacob lo intentó no consiguió que nadie le tomara en serio ni tan siquiera que le bautizaran. En esa segunda ocasión había ido al cine; proyectaban una película titulada *La banda del traje negro*. Jacob cuenta que en la pantalla, como sobre una impresión, vio a Cristo protegiendo a unos muchachos a los que él había estado ayudando pocas horas antes. La experiencia le sirvió de extraordinario consuelo y la plasmó en poesías tan hermosas y llenas de humildad como esta:

Si conoces mi vida, su negrura,
si conoces mis culpas, yo, tan débil
¿qué puede haber en mi que te interese?

A pesar de todo, siguen sin creerlo en la Iglesia, pues no entienden cómo Dios puede aparecerse a un «golfo» y menos en la pared de su casa o en el cine. Él lo toma por el lado del humor y de la penitencia, lo cual le lleva a escribir cosas así:

Primero tu visita fue en mi casa,
y fue en el cine la segunda vez:
¿O sea que frecuenta usted los cines?,
pregunta el confesor muy extrañado.
Pero, padre, el Señor también va allí.

Por fin, en 1915 fue bautizado en una ceremonia íntima y Picasso fue su padrino. Siguió su vida normal de pintor y de escritor de escaso éxito, hasta que se retiró a un pueblo en la rivera del Loira donde hizo de sacristán mientras continuaba siendo, de lejos, uno de los grandes mitos de la bohemia parisina. Fue detenido por la Gestapo en 1944 y murió poco después en el campo de concentración de Draney, sin abjurar de su fe y en medio de una intensa vida espiritual. Fruto de ella es esta otra poesía suya, que el solía rezar cuando, en París, subía al Sacré-Coeur:

Vengo a albergar mis dolores
en tu herido corazón,
en las llagas de tus manos
haré que vivan mis ansias,
en las llagas de tus pies
esconderé mis pecados.

Esta es la original historia de un converso de la vida alegre, Max Jacob, amigo de Picasso. En otras ocasiones es preciso un golpe fuerte de otro tipo, algo que rompa la rutina y nos sitúe delante de la desgracia personal o de la que afecta a los seres queridos. Incluso el milagro lo puede tener Dios preparado para quebrar nuestra inercia, por más que ese método sea tan raro que, si solo se produjeran conversiones por su causa, pocos tendrían ocasión de volver a acercarse a Dios. Pero a algunos les sucedió, como al Premio Nobel Alexis Carrel; él mismo narra su conversión en el libro *Viaje a Lourdes*. Había viajado a ese santuario mariano por motivos exclusivamente científicos, pues pensaba que allí se producían mejorías e incluso curaciones por el simple efecto de la sugestión.

El viaje lo hizo con una peregrinación de enfermos y se ocupó en el trayecto de atender a algunos de ellos, entre los cuales estaba una joven que padecía una gravísima peritonitis tuberculosa, la cual había padecido ya tuberculosis pulmonar y hemoptisis. Al llegar a la gruta de Masabielle, la muchacha tenía otro aspecto. Carrel dudaba si estaría alucinado. «Creo que me volveré loco», se dijo en aquel momento al contemplar a la enferma «¿Cómo se encuentra?», le preguntó entonces. «Muy bien; no con muchas fuerzas, pero siento que estoy curada», contestó ella. Los médicos certificaron que efectivamente la curación había sido total e instantánea. Alexis Carrel también se curó de su escepticismo y allí mismo hizo profesión de fe ante el altar de la Virgen, altar que, por cierto, ha visto un sinfín de casos parecidos.

Casi tan raras como las conversiones procedentes de la contemplación de milagros son las que tienen su origen en una evolución intelectual. No es que no crea en ellas, solo que, por desgracia, en la actualidad parece haber muy poca gente interesada en plantearse seriamente y con argumentos filosóficos en la mano lo de la existencia de Dios; los más de los ateos no se engloban en el capítulo de los que niegan que Dios exista, sino en el de los agnósticos, aquellos que se abstienen de afirmar o negar nada, lo cual resulta tan cómodo como difícil de salir de ahí. Pero en la historia sí ha habido casos de conversiones «intelectuales» y, cuando estas se han producido, han originado creyentes de gran calidad que aportaban a la nueva fe toda la categoría cultural que poseían antes de la conversión.

Un caso celebre es el de San Agustín. Antes de convertirse, este africano ardiente que vivió entre los siglos IV y V, fue no solo pagano, sino también hereje; su sangre meridional le hizo probar pronto los placeres de la carne, de los que tardó mucho en liberarse. Pero era un intelectual serio, un hombre que buscaba apasionadamente la verdad y que no transigía con sucedáneos por muy cómodos que estos fueran. Dios puso en su camino a otro hombre grande, San Ambrosio, obispo de Milán, el cual le mostró un rostro del cristianismo sugestivo en cuanto a lo moral y perfectamente compatible con las exigencias de su razón.

San Agustín se convirtió y llegó a ser uno de los mayores teólogos cristianos, hasta el punto de que sería muy difícil entender la evolución de la Iglesia sin sus aportaciones intelectuales. En el libro de las *Confesiones* explica con detalle cómo fue esa conversión, en especial el encuentro con Cristo como figura atractiva y subyugadora. Una de las páginas más conocidas de ese relato es aquella en la que recuerda cómo entró Dios en su alma y qué efectos produjo:

«Yo buscaba el camino para adquirir un vigor que me hiciera capaz de gozar de ti, y no lo encontraba, hasta que me abracé al mediador entre Dios y los hombres, el hombre Cristo Jesús, el que está por encima de todo, Dios bendito por los siglos, que me llamaba y me decía: Yo soy el camino, la verdad y la vida... ¡Tarde te amé, Hermosura tan antigua y tan nueva, tarde te amé! Y tú estabas dentro de mí y yo afuera, y así por fuera te buscaba; y, deforme como era, me lanzaba sobre estas cosas hermosas que tú creaste. Tú estabas conmigo, mas yo no estaba contigo. Reteníanme lejos de ti aquellas cosas que, si no estuviesen en ti, no existirían. Me llamaste y clamaste, y quebrantaste mi sordera; brillaste y resplandeciste, y curaste mi ceguera; exhalaste tu perfume, y lo aspiré, y ahora te anhelo; gusté de ti, y ahora siento hambre y sed de ti; me tocaste, y deseé con ansia la paz que procede de ti».

He descrito algunos de los motivos por los que un no creyente puede sentirse atraído hacia la fe en Dios. Me queda, con todo, el motivo principal, el que, junto con el ansia de eternidad y la sed de

BAC, Madrid, 1988

absoluto, está latente en todos, al menos en todos los que conducen a la fe cristiana. Me refiero al encuentro personal con el Hijo de Dios, con Jesucristo. Como quiera que dedicaré el último capítulo de este libro a una exposición resumida de lo esencial del mensaje cristiano, solo quiero decir ahora que Cristo es para los que le conocen de cerca la garantía de que el paso que se da hacia la fe no es un paso en el vacío ni un paso contra natura o contra la razón. El cristianismo es una religión histórica; empezó a existir un día determinado, por más que antes preexistiera ya en la más antigua religión judía. Empezó a existir cuando María dio a luz a un bebé en las cuevas que rodean la aldea de Belén.

Empezó a existir cuando Dios decidió que había llegado el momento de que se produjese la Encarnación de la segunda persona de la Santísima Trinidad para anunciar a los hombres la plenitud de la verdad. Una verdad que era tan simple como fundante de todas las demás: Dios existe y es amor, es amor para todos y también para ti, tanto si eres un hombre pequeño e insignificante como si te consideras importante y grande; Dios te quiere y para demostrártelo se ha hecho niño por ti, hombre por ti, ha muerto crucificado por ti y ha resucitado para que tengas la seguridad de que hay un más allá en el que vas a poder encontrarte con ese Dios al que desde ahora debes conocer con el nombre de «Padre».

Cristo es, en efecto, el principal patrimonio del mensaje cristiano. Hacia él se sienten atraídos desde hace casi dos mil años infinidad de hombres y mujeres, sabios e ignorantes, ricos y pobres, enfermos y sanos, jóvenes y mayores, de cualquier raza de la tierra, de cualquier cultura, de cualquier clase social. Se sienten atraídos no por sus milagros, ni tampoco solo por sus bellas palabras llenas de esperanza y de dulzura. Se sienten atraídos por él mismo, porque él vivió lo que predicó, dejó un testimonio incontestable y, con su muerte y resurrección, nos dejó abiertas para siempre las puertas del amor y de la esperanza. Ante esto, cabría preguntar al que duda, ¿quieres más motivos para dar el paso hacia la fe?

Y si piensas que ser cristiano es demasiado para ti, que tu nivel moral es tan bajo que te desborda una religión que enseña a amar incluso al enemigo, escucha estas viejas palabras del profeta Isaías: «Oíd, sedientos todos, acudid por agua, también los que no tenéis dinero: venid, comprad trigo, comed sin pagar vino y leche de balde». Lo que importa, en definitiva, es querer cambiar, querer solucionar las causas de la insatisfacción que se detecta en el propio espíritu y querer llenar la propia vida con algo que merezca la pena y que no te defraude; lo que importa es ser consciente de que ni la sociedad sin Dios tiene futuro porque se autodestruirá en la permisividad más rampante, ni tampoco tiene sentido la vida individual sin alguien que te llene de fortaleza y esperanza. Si esto es así, ¿para qué retrasar más la decisión? Dios quiera que no tengamos que decir, en el momento final de nuestra vida, aquello que Lope de Vega expresó magníficamente en uno de sus poemas:

¡Cuántas veces el ángel me decía:
Alma, asómate agora a la ventana;
verás con cuánto amor llamar porfía!
Y cuántas veces, hermosura soberana,
mañana le abriremos, respondía,
para lo mismo responder mañana!

CAPÍTULO V. APRENDER A CREER

«Cree y comprenderás; la fe precede, la inteligencia sigue». (San Agustín)

«Credo ut intelligam» (Creo para entender). (San Anselmo)

«Un cristiano sabe por lo menos una cosa: que tampoco el verá a Dios si no ha amado al hermano». (José Jiménez Lozano)

Supongamos que tenemos ya a una persona que ha identificado la desazón que siente dentro, el porqué teniendo tanto no termina de sentirse lleno, y que está intuyendo que solo Dios puede llenar el vacío de su espíritu y darle la felicidad que busca. Supongamos que esa persona no está tan atada por las cosas materiales como para verse imposibilitada de elevar al menos los ojos hacia lo alto pidiendo al Dios aun desconocido que le ayude y le envíe un rayo de luz por el cual ascender hacia Él. Supongamos que tiene motivaciones y porqués suficientes e incluso que desea honestamente dar el paso. Entonces, ¿qué tiene que hacer?, ¿por dónde empezar?, ¿a quién acudir?

La respuesta es aparentemente sencilla: ve al primer templo que encuentres y pídele a un sacerdote que te ayude.

Sin embargo, esta acción tiene bastantes probabilidades de no dar buen resultado, pues no siempre encontrarás la persona indicada que sepa entenderte o tendrás la fuerza suficiente para dirigirte a un desconocido. Hay que preparar mejor ese momento y hay que prepararlo con inteligencia y calma.

EL CAMINO DE LA ORACIÓN

Santa Teresa de Jesús, una de las glorias literarias y religiosas de España y de la Iglesia, decía con esa capacidad suya tan castellana que le permitía resumir en una escueta frase una gran lección, que a rezar se aprende rezando. Es así, ni más ni menos.

Cuentan también que el distinguido músico Manuel de Falla, creyente convencido en una época en la que ya los intelectuales empezaban a abandonar la fe, era preguntado por su amigo Fernando de los Ríos sobre el cómo se podía llegar a creer, porque él, que era ateo, envidiaba la suerte de los creyentes; Falla le contestó que para llegar a la fe había que empezar por ir a misa y por rezar, a lo que el otro objetó que le parecía que ese era el punto final, pues difícilmente se podría mantener una relación de amistad con alguien en quien aún no se creía. Falla, que tenía un gran sentido común, le dijo que no era así, que si bien la fe era un don de Dios había que hacer algo para abrir las compuertas del alma y permitir que ese don entrase y que eso se conseguía si primero se practicaba. Reza al Dios desconocido, al Dios en el que quisieras creer como si ya creyeras en Él y terminarás creyendo, sería la lección que daba el gran maestro.

Una lección parecida a la que Pascal enseña en sus *Pensamientos**, cuando pone en boca del mismo Dios esta frase dirigida al que le busca en la oscuridad de la increencia: «Consuélate, no me buscarías si no me hubieras encontrado».

San Anselmo de Canterbury, predecesor de Santo Tomás de Aquino en la búsqueda de las vías para demostrar la existencia de Dios, rechaza el intento de pedir primero inteligencia, comprensión de todas las cosas que aún no se entienden, para llegar después a la fe. Esa fe no sería tal, pues no se puede creer lo que se está viendo,

---

*Orbis, Barcelona, 1982

ya que si se cree es porque algo permanece todavía oscuro y hemos decidido aceptarlo como verdadero. Por eso él decía en su famoso *Proslogion*: «No busco comprender para creer, sino que creo para comprender». Es la fe la que, después, te hace entenderlo todo, pero primero tienes que ser capaz de dar un cierto salto en el vacío.

Si te encuentras en la situación de ser incapaz de fiarte de Dios, ten cuidado porque a lo peor resulta que tampoco eres capaz de fiarte de los hombres. Y si, por el contrario, eres capaz de dar tu confianza a un amigo, ¿por qué no hacerlo con alguien que ha dado la vida por ti? El pensador cristiano español Balmes decía a este propósito que «sin la fe en la palabra del hombre, el linaje humano desaparecería. El hombre necesita creer al hombre, y le cree». Y es que sin la fe entre los mismos hombres, serían imposibles las relaciones sociales, pues la desconfianza impediría no solo las transacciones comerciales sino el mismo matrimonio. Bossuet, otro gran escritor católico, cuenta en uno de sus libros el caso de la conversión de la princesa Palatina, la cual era muy reacia a creer porque reclamaba primero entender, hasta que vio a un ciego mirando al sol con sus ojos cerrados; creía en el sol, aun sin verlo, porque experimentaba el efecto de sus rayos; así también se puede creer en Dios, aun sin verlo, porque se experimenta el beneficioso efecto de su existencia, la plenitud que se intuye cuando se admite que Él existe y te ama.

Por eso, no es tan difícil hacer lo que aconsejaban Manuel de Falla y Teresa de Jesús. Aunque no tengas fe todavía, si estás buscándola y la deseas, ponte a rezar. Háblale al Dios desconocido con una oración tuya, personal, espontanea. Deja que tu corazón le pregunte, le interrogue, le pida ayuda, incluso poniendo por delante la condición de «en el caso de que existas». En el fondo, si la fe es un don, un regalo de la gracia de Dios, siempre será útil pedirla; hacerlo, dirigirse al Dios posible solicitando ese don, es ya oración y es ya, de alguna manera, un anticipo de la fe plena. Poco a poco tu cuerpo y también tu alma, tu inteligencia y tu sensibilidad, se irán acostumbrando a algo que antes te parecía extraño. Poco a poco, como el ciego que miraba el sol, irás notando dentro de ti el efecto beneficioso de esa oración y quizá antes de lo que te imaginas comprenderás que Dios esta de verdad ahí, que no es un invento de tu imaginación o de la necesidad que sientes en creer en algo. Y entonces ya tendrás fe.

EL CAMINO DEL AMOR

Hay mucha gente de espíritu noble que, sin tener fe o creyendo en una fe distinta de la cristiana, admiran el elevadísimo patrimonio moral que está contenido en los Evangelios. El ya citado Gandhi era uno de ellos y por eso, a pesar de su fe hinduista, no dudaba en decir que «Cristo es la más poderosa fuerza de energía espiritual que ha conocido el mundo». La moral cristiana se conviene así, por sí misma, en un atractivo para aquellos que no se conforman con la continua reducción de exigencias éticas, que se vive en nuestra sociedad y que comprenden que por ese camino no se conduce a la edificación de un mundo mejor, sino a la destrucción de los valores humanos.

Pero es que el mensaje ético cristiano no solo sirve como atractivo para los que buscan algo serio y no gustan de las rebajas. Es también, en sí misma, una puerta a la fe. Lo mismo que antes decíamos que a rezar se aprende rezando y que hay que empezar por hablarle al Dios desconocido para ir abriendo poco a poco el alma a la capacidad de tratar con lo trascendente, con la divinidad, así ahora hay que decir que cuando uno empieza a hacer el bien y a practicar los mandamientos cristianos, se va abriendo una vía de relación nueva entre ese Dios en el que todavía no se cree y la persona que se ha decidido ya a poner en práctica su mensaje. Si es verdad que a creer se aprende rezando, también es cierto que a creer se puede aprender amando.

«El que cumple mis mandamientos, ese me ama, y yo le amaré y me manifestaré a él», dijo Jesús en cierta ocasión. Chiara Lubich, quizá la más profunda escritora espiritual del siglo XX, lo traduce así: «En la caridad; viviendo la caridad, se comprenden mejor las cosas del cielo y Dios, con mayor libertad, puede iluminar las almas».

Y es que cuando uno empieza a amar está ensanchando ya su espíritu y lo está liberando de aquellos «sapos y sabandijas» de que hablaba Santa Teresa cuando describe las primeras moradas del alma humana. Cuando amas, aunque sea en cosas pequeñas y aparentemente insignificantes, estás haciendo grande el vaso de tu corazón y en él podrá caber mucha más sabiduría. Estás quitando zarzas y espinas, con lo que la palabra de Dios que sea allí sembrada no encontrará obstáculos para germinar y podrá crecer fuerte y llena de frutos. ¿No es cierto que, en la mayor parte de los casos, el alejamiento de la fe no se produce por una cuestión intelectual sino por un problema de identificación con los mandamientos cristianos? Pues bien, asimismo es cierto lo contrario; el que empieza por hacer el bien está ya cerca de Cristo y no le costará mucho romper el tabique de separación entre su razón y la sabiduría divina.

Si es verdad lo que el escritor Amiel decía, que «el hombre se eleva por la inteligencia, pero no es hombre más que por el corazón», será necesario que ese corazón se haga grande para que el hombre aumente su capacidad de entender y pueda dar cabida en él al infinito, que es Dios. El mismo Víctor Hugo opina también así: «Amar es la mitad de creer». Y es que, cuando se ama, se experimenta siempre una felicidad antes desconocida, una felicidad que nos atrae y nos compensa por el esfuerzo hecho para amar; esa felicidad es un anticipo del cielo y cuando se ha gustado se desea beber en la fuente de la que procede. Cuando se ha conocido el amor, cuando siguiendo el Evangelio se ha remontado uno hacia las fuentes del amor que radican en Cristo y en Cristo crucificado, se intuye con facilidad que una doctrina tan excelsa no puede tener un origen humano y que esa felicidad que llena el corazón solo puede nacer de la mano misma de Dios.

Por último, cuando se ha experimentado todo esto, está uno mucho más capacitado para abandonarse en las manos de aquel que te ha enseñado a amar sin límites y que, al hacerlo, te ha puesto en el camino de la felicidad; porque, aunque se corra el riesgo de equivocarse, el bien que se está produciendo en ti y a tu alrededor justifica la aventura, mientras que regresar al estado anterior significaría volverte a encerrar en tus propios límites morales y renunciar no solo al placer de amar sino también a sembrar el bien a tu alrededor. Ama y haz lo que quieras, decía San Agustín; ama y no tardarás en encontrar la fe, podríamos añadir nosotros ahora, sobre todo si además de hacer el bien haces un esfuerzo por abrir tu alma a la oración, a la espiritualidad, a Dios.

El camino de los testigos

Ya se ha visto cómo el testimonio de los cristianos puede servir para atraer o para repeler de la fe a aquel que se encuentra con ellos. El político Clemenceau decía: «Suponed que todos los cristianos que lo son de nombre lo fueran de hecho; se habrían acabado todos los problemas sociales». No solo se habrían acabado los problemas sociales, sino que también se habrían acercado a la fe muchos que ahora viven alejados de ella.

Afortunadamente, no faltan los testimonios positivos en las filas cristianas y esos testigos de la fe nos pueden servir de gran ayuda para dar el primer paso, para empezar a creer.

Puede suceder, no obstante, que por muy admirables que nos resulten algunos creyentes, una inquietud nos taladre el pensamiento y nos impida dar el paso hacia el estilo de vida que ellos llevan y que en ellos admiramos. Esa inquietud podría expresarse más o menos así: «Esta gente es buena, incluso es ejemplar; no me cabe duda de que están creyendo honestamente en lo que dicen y hacen, pero eso no impide que estén equivocados; también había marxistas honestos que dieron la vida por su ideología y esta tenia elementos gravemente erróneos». Por eso podría darse el caso de que alguna persona, incluso atraída por el ejemplo de los cristianos, no se decidiera a imitar su fe.

Conviene, en este caso, ir a las raíces, a los primeros pasos de la fe cristiana. Los cristianos actuales lo son porque la fe que poseen la recibieron de sus mayores. Estos, a su vez, fueron educados en ella por los suyos, y así sucesivamente. De este modo nos remontamos a la época apostólica, a los primeros cristianos y más concretamente al grupo de los primerísimos, a los apóstoles y a Cristo.

Ellos, los apóstoles, fueron los primeros testigos de la nueva religión. Testigos en el sentido más pleno de la palabra, porque lo que se limitaron a hacer -lo que constituye en realidad el Evangelio- fue dar testimonio de lo que habían visto. Ellos hablaban a los demás de lo que sus ojos vieron y sus manos tocaron, de lo que entró por sus oídos y pudieron comprobar sin ningún género de dudas. Por tanto, si los cristianos de hoy pueden haber sido engañados al contarles una historia que nunca existió, los apóstoles no: o la inventaron ellos, o esa historia era verdadera.

Pero nadie dice una mentira y pone en circulación una fantasía para perjudicarse. Si con la supuesta patraña de la muerte y resurrección de Jesús los apóstoles se hubieran hecho ricos y hubieran vivido desde entonces como «explotadores» de una comunidad de ingenuos a los que mantenían engañados, podríamos sospechar que había falsedad en lo que ellos enseñaban. Pero las cosas no sucedieron así y, además, no sucedieron así desde el primer momento. Los apóstoles fueron perseguidos por su fe, tuvieron que huir de su patria y abandonar sus hogares y sus trabajos; al final, todos ellos encontraron la muerte de forma violenta o al menos -como en el caso del evangelista Juan- padecieron el martirio aunque no llegaran a morir por él. ¿Es eso lo que hace un hombre que ha inventado algo para hacer negocio? El mentiroso, como el mal pastor, cuando ve venir el peligro, se desdice de lo dicho y es el primero en confesar que todo era un cuento. Nada les hubiera resultado más fácil y probablemente se hubieran librado de las persecuciones que contra ellos desataron primero los judíos y luego los romanos.

En cambio, insistieron con tenacidad en proclamar lo que habían visto, tocado y oído. No proclamaban, merece la pena fijarse en este detalle, lo que creían, sino lo que sus ojos habían visto y de lo que no podían dudar de ninguna manera.

Es así como nos remontamos al origen mismo de la fe cristiana que, como se ha dicho, es una fe histórica porque tiene su origen en un momento concreto de la historia humana, tan documentado como pueden estar los hechos que acaecieron en aquellas mismas fechas. No se trata de un mito ni de una hermosa fábula; es algo que vieron hombres y mujeres y que, por insistir en que de verdad lo habían visto, sufrieron persecución y aceptaron morir antes que negar que las cosas habían ocurrido como ellos las contaban.

¿Qué es lo que vieron los ojos de los apóstoles y que escucharon sus oídos? Vieron y convivieron con un personaje, con un ser vivo, con alguien real, con Jesús de Nazaret. La piedra angular en la que se apoya todo el edificio del cristianismo está ahí, en la historicidad de la figura de Jesús, en si lo que se dice que hizo lo hizo de verdad y lo que se dice que predicó lo afirmaron sus labios.

De nuevo tendríamos que preguntarnos si todo lo que cuentan los apóstoles ocurrió como ellos afirman. Algunos dicen que es una invención de dos de ellos, Juan y Pablo (esa es la tesis marxista matizada y corregida por Bloch). Eso, como se dijo, no basta afirmarlo, sino que hay que probarlo. Por el contrario, los testimonies de los evangelistas todos y no solo de Juan, así como el relato de los primeros pasos de la joven comunidad recogido en el libro de los Hechos de los Apóstoles, dan testimonio coincidente acerca de lo esencial de la fe cristiana, acerca de los rasgos fundamentales de la figura de Cristo.

Estos rasgos son los siguientes: fue un hombre verdadero y no un fantasma, una aparición o un mito; tuvo pretensiones inauditas, pues no se atribuyó simplemente el papel de líder, de profeta o de maestro, sino que se presentó a los suyos con la categoría de Dios y exigió a sus seguidores ese tratamiento, puesto de manifiesto en la pretensión de convertirse en un absoluto para las vidas de los que le seguían; murió crucificado tras haber llevado una vida ejemplar en la que, como dice el Evangelio, «pasó haciendo el bien» a cuantos se cruzaron en su camino; resucitó de entre los muertos y los apóstoles fueron testigos de esa resurrección.

La cuestión, centrada así en su núcleo fundamental, reside entonces en dos elementos capitales. Primero, si Cristo estaba loco o mentía al pretender ser Dios. Segundo, si de verdad resucitó. De esas dos cuestiones depende todo el edificio de la fe cristiana y entender esto es entrar con enorme facilidad en ella.

Sobre la pretensión de divinidad enarbolada por Cristo, solo caben tres posibilidades: estaba loco, era un embaucador o era verdad lo que decía. Un loco no está solo un poquito loco o es loco a ratos, sino que más pronto o más tarde hace algo extraño, da síntomas de esa locura en algún otro asunto; por el contrario, nada de eso sucede con Jesús; el Evangelio nos lo muestra como el hombre más equilibrado del mundo; está lleno de ternura, quiere a los niños, se enfrenta con la sociedad de su tiempo para defender a la mujer, se siente incómodo con una religión ritualista que se olvida de que el hombre es lo más importante y propaga continuamente una síntesis perfecta entre la espiritualidad que tiende hacia Dios y la humanidad que evita que esa espiritualidad se vuelva dañina para el hombre. Cristo era un hombre maduro y sensato, equilibrado y poco dado a los extremos.

Podría, desde luego, no haber sido un loco, sino haber sido un farsante, alguien «demasiado» listo, que quería engañar a las masas y seducirlas con un móvil egoísta o con alguna intención política. No sería la primera vez en la historia humana, y desde luego no hubiera sido la última, en que se emplea la religión para camelar a la gente y extraer de ella todo lo extraíble e incluso para conducirla ciegamente hacia guerras cruelísimas. Con respecto a lo primero, hay que aplicar el mismo criterio usado para certificar la veracidad de los apóstoles: un impostor miente solo mientras hay negocio; el Cristo embaucador lo hubiera sido hasta la noche del Jueves Santo o, como mucho, hasta la mañana del Viernes, cuando Pilato le dio toda clase de facilidades para encontrar una salida airosa, con paliza incluida. Él, en cambio, había subido a Jerusalén sabiendo el final que le aguardaba y así se lo había anunciado reiteradamente a sus apóstoles, que habían hecho todo lo posible por disuadirlo. Cristo siempre supo en qué lío se estaba metiendo y cuál era el resultado final. A pesar de ello, no lo dudó y siguió siempre adelante con una coherencia ejemplar y extrema. Eso no lo hace nunca un impostor ni un embaucador de ingenuos. Cristo, por tanto, que no estaba loco y que no daba muestras de tener delirios de grandeza o paranoia, creía seriamente en lo que decía y aceptó morir antes que desdecirse.

Pero sin la resurrección faltaría algo para que el edificio de la fe tuviera un trípode firme en el que asentarse. Ya hemos visto que Cristo era un hombre en su pleno juicio y que afirmaba cosas en las que creía de verdad, no solo con respecto a Dios –ya que entonces podía estar él también engañado, como lo pueden estar los creyentes de cualquier religión–, sino con respecto a sí mismo. Él se presenta como Dios ante los hombres y eso o es verdad o es mentira, pero ya no se puede apelar a que a él le han engañado los que se lo contaron. En todo caso Dios le echó una mano para sancionar la veracidad de sus pretensiones; en realidad, le había echado ya muchas manos cuando, a lo largo de su vida pública, no habían dejado de producirse milagros a su paso, que eran pruebas de que Dios estaba con Él; no obstante, faltaba la prueba definitiva, y esa prueba era la resurrección.

La misma muerte de Cristo, por el carácter traumático que tuvo y por lo que significaba de victoria de sus enemigos sobre él y por tanto de debilidad de su poder, se convirtió en un anti testimonio de sus pretensiones, del mismo modo que los milagros habían obrado como pruebas a su favor. Esa inaudita presentación como Dios encarnado y hecho hombre era imposible de digerir por el estómago de los judíos, los cuales tenían prohibido incluso mencionar el sagrado nombre del Altísimo, además de representarlo en pinturas o esculturas. Por eso la pretensión de divinidad enarbolada por Jesús solo pudo avanzar a golpes de testimonios tan elocuentes como la resurrección de Lázaro, la multiplicación de los panes o la curación de los leprosos; sin ese poder, Cristo corría el riesgo de ser considerado un farsante por sus mismos seguidores, amén de por el resto del pueblo. Eso fue exactamente lo que ocurrió y, como él mismo había anunciado, se cumplió aquello de «heriré al pastor y se dispersará el rebaño».

Pero resulta que la historia no acabó ahí. Cristo murió, ciertamente, y cuando ya nadie -excepto su Madre- esperaba otra cosa más que dejar pasar un tiempo prudencial para salir huyendo y no compartir su misma desgracia, el Señor se hizo presente en medio de los suyos y dio abundantes pruebas de que era él mismo, en carne y hueso y no en plan fantasma, vivo otra vez, resucitado. La resurrección es el sello de Dios que garantiza la autenticidad del producto ofrecido, y ese producto no era otro que la divinidad de Cristo. Así lo entendieron perfectamente los apóstoles y por eso ya no dudaron en dar testimonio de su fe en esa divinidad y de lo que sus ojos habían visto: que Cristo, el que había sido crucificado, estaba vivo, con lo cual todo lo que él había predicado y revelado era verdad. Era verdad su mensaje moral y, ante todo, era verdad su mensaje dogmático: Dios existe, Dios es Padre, Dios nos quiere infinitamente y nos perdona nuestros pecados, Dios se interesa por nosotros y como prueba de ello ha enviado a su Hijo para darnos a conocer la verdad plena e incluso para morir por nosotros. Por tanto, existe otra vida, de la cual Cristo ha vuelto, y en esa vida vamos a ser juzgados solo por una ley, maravillosa y a la vez sencilla, la ley de la caridad y del amor.

No hay fisuras en este argumento. El trípode está completo y la fe tiene sólidas bases en las que apoyarse. Creo en Dios porque Cristo fue un personaje histórico, completamente cuerdo, que creyó en lo que decía y que murió por creer en ello. Lo que él enseñaba no se refería a terceros, a cosas que otros le habían contado, sino que hablaba de sí mismo, de su propia divinidad, a la vez que nos abría el horizonte para enseñarnos la intimidad de Dios, su naturaleza, y esa naturaleza era el amor. Dios certificó la veracidad de lo que Cristo decía y lo resucitó de entre los muertos, como testimonian los apóstoles, los cuales no mienten, porque aceptaron la muerte antes que desdecirse de lo que sus ojos habían visto y sus manos habían tocado: a Cristo y a Cristo resucitado.

¿Hace falta algo más para creer? Quizá si no aceptamos esto se podría decir de nosotros lo que se cuenta en el Evangelio de aquel que pedía resucitar para convencer a sus hijos de que lo de Dios era verdad; le contestaron que si no creían con la cantidad de pruebas que tenían, tampoco creerían aunque resucitara un muerto. En realidad tiene razón Santa Catalina de Siena cuando, en una de sus cartas a un abad, le dice que «es la vía de Cristo crucificado la que nos dará siempre la luz y la gracia. Pero si seguimos otro camino, iremos de tinieblas en tinieblas y finalmente a la muerte eterna».

Necesitamos confiar para vivir y eso no solo a nivel de fe religiosa. Bossuet acierta cuando dice que «entre las cosas que no se saben, hay algunas que se creen por el testimonio de las otras: esto es lo que se llama la fe». Solo que es justo y necesario que reduzcamos el riesgo al mínimo, que no nos fiemos sino de quien lo merece y nadie lo merece tanto como Cristo. Por esto solo a él, y al Dios amor que él nos revela, se le puede decir una oración tan bella como la que compuso Charles de Foucauld y que implica una total confianza y un abandono pleno en las manos de aquel que sabemos que nos ama: «Padre mío, me abandono en ti, haz de mí lo que te plazca. Lo que Tú hagas de mí, te lo agradezco. Estoy dispuesto a todo, acepto todo con tal que tu voluntad se cumpla en mí y en todas tus criaturas; no deseo otra cosa, Dios mío».

Sin confiar no se puede vivir. Quizá bastaría con entender esto para que los que no tienen fe en Dios dejaran de juzgar a los que sí la tenemos, considerándonos unos ignorantes. No somos enemigos de la razón; somos, simplemente, amigos de la vida.

EL PAPEL DE LOS GUÍAS ESPIRITUALES

Vistas ya las vías no especulativas sino humanas -en las cuales se mezclan en sano equilibrio la razón con el corazón- para entrar en contacto con Dios y empezar a creer, hay un asunto que es útil tratar: el del papel de los guías espirituales. Estos se pusieron de moda en Occidente hace unos años, cuando algunos de nuestros jóvenes miraron hacia el Oriente en busca de la espiritualidad que aquí se les negaba, tanto por parte de la sociedad consumista como por parte de unas Iglesias cristianas tan preocupadas por lo social como despreocupadas por lo espiritual. Algunos de estos jóvenes, en la época del movimiento *hippy* y aún antes, viajaron a la India y allí descubrieron las huellas de antiguas religiones, como el hinduismo o el budismo.

Después, muchos líderes religiosos de esos países, acuciados por problemas políticos -como es el caso del Dalai Lama del Tíbet-, por necesidades económicas o por apostolado, incluyeron el Occidente cristiano entre sus nuevos campos de actuación y encontraron una minoría sedienta de sus enseñanzas espirituales. Desde entonces no ha sido raro encontrar muchachos rubios y de ojos claros vestidos con túnicas azafranadas cantando en los aeropuertos las melodías del hare krishna, o ver pegados, en las calles de las ciudades occidentales, carteles invitando a participar en alguna conferencia dada por tal o cual celebre santón.

Algunos de esos líderes son hombres y mujeres de un elevadísimo nivel espiritual, como sucede en el caso del Dalai Lama, por ejemplo. Otros utilizan el camino de la religión para hacerse con el dinero de sus hambrientos seguidores, a los cuales esquilman a cambio de un sucedáneo de espiritualidad que difícilmente les sacia. Este es el caso de las sectas.

No todas las sectas tienen un origen oriental. Muchas nacieron en los Estados Unidos como Iglesias Libres, aprovechándose del principio instaurado por Lutero de que la Escritura puede ser interpretada por cualquiera y que no hay un Magisterio oficial que tenga la última palabra en las discusiones teológicas. En realidad, no es sencillo determinar cuándo un grupo religioso es una secta o es una religión. El único criterio válido es aquél dado por Cristo para identificar a sus seguidores: «Por sus frutos los conoceréis». Si los frutos son de paz, de justicia, de solidaridad, de una espiritualidad sana que no aliena a la persona y no le priva ni de su cabeza ni de su corazón, entonces esa forma de acercarse a Dios merecerá un respeto, aunque no se compartan ni sus dogmas ni algunas de sus doctrinas morales.

Por desgracia, no siempre es así y cada vez son más las personas, particularmente jóvenes, que son víctimas de las sectas. Sus padres, desesperados, no saben qué hacer, puesto que en casi todos los casos ellos son mayores de edad y pueden decidir libremente sobre su futuro. De tanto en tanto los periódicos aportan noticias de casos extremos, como el de la secta de los servidores del Templo del Sol, en Suiza; el de los «davidianos», Estados Unidos; o la secta de la Verdad Suprema, que tantas desgracias ha causado en Japón. A veces se oyen casos de suicidios colectivos y mientras tanto circulan tremendos informes sobre abusos sexuales e incluso sobre redes de prostitución y trata de blancas que se nutren de jóvenes engañados por sus maestros espirituales.

La Iglesia católica, lo mismo que las antiguas religiones orientales, ha ofrecido siempre a sus seguidores la figura noble y sana del maestro. Una figura que entre los católicos se conoce con el apelativo de director espiritual. Hasta hace unos años era casi imprescindible para cualquiera que deseara seriamente progresar en el camino de la santidad, pues desde fuera se ven ciertas cosas mejor que desde dentro de uno mismo y los consejos de una persona sabia pueden ahorrarte muchos tropezones. Tras el Concilio Vaticano II, aunque no como fruto de él, esta figura decayó notablemente y pasó a ser utilizada solo por personas que militaban en los sectores más tradicionalistas de la Iglesia. En la actualidad se está recuperando notablemente y el verdadero impedimento para que su difusión sea mayor es la gran escasez de sacerdotes, que impide a los pocos que hay dedicar el tiempo que requiere una dirección espiritual seria.

Una característica del director espiritual católico es que no debe ser jamás un dictador espiritual. El director acompaña y sugiere, pero siempre respeta. El director no es un fiscal, ni un investigador. Escucha mucho y pregunta poco, porque la persona que acude a él tiene derecho a mantener sus niveles de privacidad, aunque eso lo haga a costa de ocultar ciertos datos que podrían serle útiles al consejero para orientar mejor a su dirigido. El pupilo, el dirigido, siempre tendrá la oportunidad de buscarse otro director e incluso deberá hacerlo cuando se sienta presionado por él o la relación entre ambos haya llegado a hacerse incómoda. Además, no se ha de confundir la dirección espiritual con la confesión, por lo que ciertos pecados que pueden resultar vergonzosos pueden ser omitidos en los informes que el dirigido dice de sí mismo, si así lo considera conveniente.

Por otro lado, el director ha de ser una persona de doctrina probada y, a ser posible, de santidad de vida garantizada. Se han de evitar las implicaciones afectivas exageradas entre director y dirigido, aunque no solo no es malo, sino que resulta inevitable y positivo el surgimiento de una sana amistad. El director debe cuidar, por último, dirigir a su pupilo según la doctrina de la Iglesia y no según sus propias opiniones, o, de lo contrario, hacérselo saber con lealtad, no sea que engañe a una persona que, inocentemente, se ha puesto en sus manos para buscar a Dios según el camino de la Iglesia y esté siendo conducida sin saberlo por otras vías.

La dirección espiritual se manifestó siempre como un alivio estupendo para las enfermedades del alma. El mismo Freud se quejaba de que a su consulta acudían pocos católicos, porque estos no necesitaban un psicólogo ni un psiquiatra ante el que descargar sus traumas, ya que efectuaban esa tarea de limpieza mental en el confesionario. No quiero entrar en discusiones de competencia acerca de los resultados, pero ciertamente desde el punto de vista económico el confesor resulta infinitamente más barato, pues tanto él como el director espiritual deben llevar a cabo su trabajo absolutamente gratis; en esto, por lo demás, se diferencian notablemente de las normas de actuación que siguen muchos «santones» orientales y casi todos los líderes de las sectas.

En fin, se puede afirmar que cuando se ha encontrado un buen director espiritual se ha encontrado un gran tesoro. Ojalá que todos fueran como aquel magnífico San Francisco de Sales, maestro de directores espirituales, que dejó plasmados en su *Introducción a la vida devota* los pasos que debía dar el alma que quería acercarse a Dios sin tener que abandonar el mundo. En cierta ocasión escribió lo siguiente a la esposa del presidente del Parlamento de Bretaña:

«Tenéis un gran deseo de alcanzar la perfección cristiana. Es el deseo más generoso que podríais tener; alimentadlo y dadle su crecimiento. Los medios para alcanzar la perfección son diversos según las distintas vocaciones: tanto los religiosos como las viudas o las personas casadas deben buscar la perfección, pero no todos tienen idénticos me-

---

*BAC, Madrid, 1953

dios. Para vos, señora, que estáis casada, los medios más adecuados son la unión con Dios, el amor a vuestro esposo y a las personas que de vos dependen así como al prójimo. La manera de uniros a Dios debe ser, principalmente, el uso de los sacramentos y la oración».

Y en otra ocasión, el santo obispo de Ginebra le recomendaba a la misma señora: «Os aconsejo que visitéis de vez en cuando los hospitales y consoléis a los enfermos. Los enfermos aprovecharán vuestro adelanto espiritual, si se traduce en un trato más caritativo. Vuestro marido verá que, mientras más avancéis por el camino de la perfección cristiana, más cordial estaréis con él y más dulce será el cariño con que le tratéis. Es necesario, pues, que vuestra espiritualidad os haga cada vez más amable, útil y agradable. En definitiva, debéis hacer que vuestra devoción sea cada día más atractiva».

Así serán siempre los consejos de un genuino maestro de espíritus católico. No podría ser de otra manera si se desea encaminar a los fieles por la senda de Cristo, que aconsejó amar incluso a los enemigos. Otra cosa será que los aconsejados no hagan caso de lo que se les dice, pero eso ya no se deberá anotar en la cuenta de quién da los consejos, sino en la de aquel que los escucha e incumple.

CAPÍTULO VI. LA OPCIÓN CRISTIANA

«El cristianismo marca una nueva fase en lo moral y lo espiritual de la humanidad, consagrando el carácter sagrado de cada ser humano» (H. G. Wells)

«No se trata de adaptar el cristianismo a los hombres, sino de adaptar los hombres a Cristo.» (Henri de Lubac)

Entrar, a estas alturas del final del libro y en su último capítulo, a presentar el cristianismo resulta casi una temeridad. O se hace breve, y en ese caso se corre el riesgo de hacerlo mal, o se hace largo y entonces se termina por agotar la paciencia del lector. No queda, pues, más remedio que escoger el camino de la síntesis y del resumen, por más que eso lleve consigo siempre una dosis de reducción y por tanto de traición. Pero es que, después de lo dicho en los capítulos anteriores, estaría siendo injusto conmigo mismo, con la fe en la creo y con la mayoría de mis posibles lectores si no expusiera, aunque fuera en un breve resumen, lo esencial de la fe cristiana, sus implicaciones morales y las ayudas con que cuenta el creyente para intentar vivir conforme a lo enseñado por Jesús.

También sería injusto, en esta ocasión para con la Iglesia, si no afrontara algunos de los principales problemas con que se enfrenta esta institución al intentar mantener el depósito íntegro de la fe cristiana en un mundo tan materialista y permisivo como el nuestro. De eso se tratará, pues, ahora. Confío en que su lectura se hará con provecho si antes se han digerido bien los capítulos precedentes, gracias a los cuales se llegará al estudio del cristianismo con el deseo de encontrar un estanque bien lleno que sacie la sed de espiritualidad del que se acerca a él.

EL DOGMA CRISTIANO

La Iglesia, al menos la católica, ha tenido bastante claro desde su origen en qué se debía creer. Esta claridad no ha estado exenta de luchas internas, sobre todo en los primeros siglos del cristianismo. Merced a ellas se fue perfilando el contenido del Credo. Este no ha variado en lo esencial, ni siquiera tras el trauma que supuso la separación de la Iglesia de Oriente, primero, y la ruptura protestante, después.

Para más facilidad nuestra, recientemente ha sido publicado el nuevo Catecismo de la Iglesia católica que contiene un desarrollo bastante amplio y comprensible de las verdades de la fe, así como de los principales puntos de la moral católica.

Siguiendo la formulación del Catecismo, que a su vez se limita a explicar las distintas afirmaciones del Credo, podemos decir que el primer dogma de la fe católica es el de la existencia de Dios, un Dios que ha sido revelado por Jesucristo como Padre. El concepto de *paternidad* no excluye otras notas propias de la imagen de Dios en que creen los cristianos, heredadas del Antiguo Testamento, como las de «Todopoderoso», «Creador» y «Señor de todas las criaturas visibles e invisibles». Es necesario entender y aceptar ambas notas en su conjunto, pues un Dios que fuera visto solo como «bondadoso», sin que fuera contemplado a la vez como Señor del mundo y Todopoderoso, correría el riesgo de terminar convirtiéndose no en un Dios «padre», sino en un Dios «abuelo», un vejete de barba blanca que dice «amén» a todos nuestros caprichos y al que podemos engañar fácilmente porque ya chochea. El poder de Dios, su sentido de justicia y, de ahí, la necesidad de dar cuenta ante Él de lo que hemos hecho en esta vida, no es un elemento amedrentador como algunos suponen; es la garantía de que los derechos de los débiles van a ser respetados por los fuertes, ya que los indefensos tienen como garante y protector precisamente a Dios, que es más poderoso que los poderosos y ante el cual todos, ricos y pobres, habremos de rendir cuentas algún día. Lamennais escribía en *Palabras de un creyente*: «El grito del pobre sube hasta Dios, pero no llega nunca al oído del hombre»; para evitar que esto ocurra es por lo que la Iglesia no excluye de su dogma la imagen de un Dios capaz de hacer justicia y de defender a los débiles. El segundo concepto fundamental del Credo es el referido a Cristo. Dice el llamado «símbolo Niceno-Constantinopolitano», que es el que con más frecuencia se reza en las misas:

«Creo en un solo Señor, Jesucristo, Hijo único de Dios, nacido del Padre antes de todos los siglos: Dios de Dios, Luz de Luz, Dios verdadero de Dios verdadero, engendrado, no creado, de la misma naturaleza del Padre, por quien todo fue hecho; que por nosotros, los hombres, y por nuestra salvación bajó del cielo, y por obra del Espíritu Santo se encarnó de María, la Virgen, y se hizo hombre; y por nuestra causa fue crucificado en tiempos de Poncio Pilato; padeció y fue sepultado, y resucitó al tercer día, según las Escrituras, y subió al cielo y está sentado a la derecha del Padre; y de nuevo vendrá con gloria para juzgar a vivos y muertos, y su reino no tendrá fin».

El resumen de esta hermosa y antigua profesión de fe es mucho más sencillo de lo que parece. Consiste en creer tanto en la humanidad de Cristo –no fue un fantasma, ni una aparición de la divinidad adoptando forma humana, sino un verdadero hombre nacido, como los demás, de una mujer, la Virgen María–, como en su divinidad –no fue un superhombre, el mejor hombre o un grandísimo profeta, sino que además de ser hombre era a la vez Dios, de la misma naturaleza divina que el Padre y que el Espíritu Santo.

La «humanidad» de Cristo fue atacada por algunas de las primeras herejías, como la de Nestorio, pues consideraban que la grandeza y omnipotencia divina no podía haberse rebajado hasta el extremo de asumir la miseria y corrupción de la carne humana. Contra esto reaccionó la primitiva fe, que testificaba lo que los apóstoles vieron: sus manos no tocaron un fantasma sino un hombre auténtico y el que salió del vientre de María no era una apariencia sino un verdadero niño. La consecuencia de la humanidad de Cristo es la gran carga de «humanidad» que lleva el cristianismo. Cristo fue hombre, fue uno como nosotros, nos puede entender porque él también supo lo que era llorar por la muerte de un amigo, tener miedo antes de morir, sentir alegrías y sufrir en la propia carne las penas normales que cualquier ser humano tiene que padecer. Además, la humanidad de Cristo, unida a su divinidad, lleva consigo la dotación de un cierto carácter sagrado a cualquier otro hombre; desde el momento en que Dios se hizo hombre, todos los hombres dejamos de ser simples criaturas de ese Dios para convertirnos en hermanos de su Hijo y por tanto en hijos suyos; de ahí que cuando se haga daño a cualquier ser humano, es al mismo Dios a quien se ofende, porque es a un hijo suyo y no a un extraño a quien se ha herido; de ahí también que Cristo pudiera decir aquello de «lo que hayáis hecho al más pequeño a mí me lo habéis hecho», ligando definitivamente su suerte con la de los que sufren y ligando también, como en ninguna otra religión, el culto a Dios con el amor al prójimo; por todo ello, el mejor culto será siempre, para el cristiano, la caridad, sin que eso signifique que no sean necesarias la oración ni los sacramentos, pero nunca estos sin aquella.

El otro aspecto, la divinidad de Cristo, también fue negada por algunos de los primeros herejes, uno de los cuales, Arrio, tuvo tanto éxito que a punto estuvo de conseguir imponer sus tesis al conjunto de la Iglesia. En la actualidad esta herejía cobra nuevos bríos, aunque con otros nombres. Se cae en ella, aun sin saberlo, cuando se ve a Jesús solo como a un gran personaje histórico, un hombre entre los hombres, un magnífico profeta. Los apóstoles, como se ha dicho, se negaron a aceptar esta versión y sufrieron por ello persecución, pues la religión judía no hubiera tenido grandes problemas en aceptar a Jesús como uno de los muchos enviados de Dios que de tanto en tanto llamaban la atención del pueblo para que no se desviara de la antigua fe. Pero ellos, los apóstoles, no solo habían visto los milagros, sino que, sobre todo, habían escuchado a Jesús hablar de sí mismo, con la pretensión inaudita de convenirse en punto de referencia para el comportamiento humano, lo cual solo tiene derecho a atribuírselo el mismo Dios; el Evangelio está lleno de frases así: «Habéis oído que los antiguos decían ... , pero yo os digo... »; en la misma línea, cuando Jesús está ya a punto de concluir su vida en la tierra, en la noche del Jueves Santo, no les encarece a los suyos en el sendero de los antiguos mandamientos de Moisés, sino que les da uno propio y, por si fuera poco, se pone a sí mismo como modelo y punto de -referencia: «Este es mi mandamiento, que os améis unos a otros como yo os he amado». En fin, la continua identificación que Cristo hace entre Él y el Padre no deja lugar a dudas sobre la conciencia de divinidad que Jesús tenía de sí mismo, lo cual solo podía producirse, como se ha dicho, en tres ocasiones: o era un enfermo mental, o era un embaucador o era verdad lo que decía, siendo forzoso excluir las dos primeras por las razones que ya se adujeron.

De la divinidad de Cristo se extrae, sobre todo, una gran lección: el amor infinito de Dios por el hombre. El Señor no dudó en enviar a su propio Hijo para enseñarnos cuál era el camino de la felicidad plena que los hombres tanteaban a ciegas sin llegar a encontrar. Esa «encarnación» supuso para el Hijo de Dios algo muy diferente a un paseo triunfal: le llevó a la Cruz, a la muerte ignominiosa; Él la aceptó voluntariamente, para redimimos y limpiar con su sangre el cúmulo de ofensas que desde el origen de la humanidad los hombres habíamos estado acumulando contra Dios; pero también lo hizo para que comprendiéramos hasta qué punto era grande su amor por nosotros, hasta el punto de dar la vida y aceptar la humillación, Él que era el Todopoderoso. Por último, la muerte redentora de Cristo en la Cruz tiene otro valor, el de mostrarnos la forma de comportarnos ante el sufrimiento, enseñarnos la actitud que el propio Cristo tuvo cuando aceptó la muerte sin entender los porqués de lo que sucedía.

Naturalmente que la muerte de Jesús hubiera sido el final de todo si no hubiera tenido lugar la resurrección. Fue de ese conjunto de hechos históricos: muerte y resurrección, de lo que se convirtieron en testigos los apóstoles. Porque Cristo murió, creemos que Dios nos ama con un amor de locura e infinito. Porque Cristo resucitó, confiamos en que hay un más allá, en que la vida no termina con la muerte, y en que Dios hará justicia como la hizo con su Hijo no dejando que los pobres sean expoliados ni humillados impunemente.

Predicar esto y presentarlo sin ambigüedades a los hombres de hoy sigue siendo la clave de la supervivencia del cristianismo. El cardenal Ratzinger ha insistido en repetidas ocasiones sobre ello, pidiendo a los sacerdotes que hablen más de Dios, de Cristo, de su amor, de su muerte y de su resurrección, que de la propia Iglesia, la cual no es un fin en si misma sino un medio para llegar a Dios. Pero no solo es Ratzinger el que lo dice; Jiménez Lozano, un comprometido seglar español católico, de considerable altura intelectual, no dudó en escribir: «Este mundo no precisa tanto que se le hable de moral cristiana -tan tributaria de la historia, por lo demás- como de que Jesús venció a la muerte y la muerte está vencida. La Iglesia no conquistó el mundo romano venciendo al paganismo con el sermón de las Bienaventuranzas, sino con la gran noticia de que Cristo había resucitado».

El Credo se completa con la expresión de fe en el Espíritu Santo. Él es la tercera persona de la Santísima Trinidad, Dios verdadero como el Hijo y el Padre con quienes comparte la misma naturaleza divina, pero a la vez es una persona distinta de ellos como ellos lo son entre sí. El Espíritu Santo es la fuerza que mueve el corazón de los hombres, impulsándolos a hacer el bien y a evitar el mal; es el «consolador», el que nos anima en la lucha y nos conforta en los duelos; es también aquel que suscita de entre los hombres a esos «ejemplares» de heroísmo humano y de virtud cristiana que son los santos; es quien protege a la Iglesia y vela por ella para que no sucumba en los mil avatares de la historia, ni siquiera ante el pecado de los que la componen. El Espíritu Santo es, a pesar de todo y como le ha llamado acertadamente Juan Pablo II, el «Dios desconocido», por el poco trato personal que el conjunto de los cristianos tiene hacia Él; sin embargo, a Él deberíamos acudir en nuestras oraciones pidiéndole el don de la santidad o al menos el don de desear la santidad, lo mismo que pidiéndole que aumente nuestra fe y que fortalezca nuestra esperanza.

La fe en la Iglesia, «una, santa, católica y apostólica», constituye, junto con la fe en el primero de los sacramentos, el bautismo, y la fe en la vida eterna, el último párrafo de este Credo nicenoconstantinopolitano. Lo de la resurrección va ligado, como se acaba de decir, a la resurrección del propio Cristo y a sus reiteradas enseñanzas en ese sentido; abre este capítulo la puerta a la esperanza eterna del ser humano, a esa intuición que ha tenido desde que empezó a existir como hombre y dejó de ser un primate evolucionado pero todavía no humano. Intuición que hasta feroces enemigos de la Iglesia, como Voltaire, reconocieron como verdadera aunque lo hicieran bebiendo no en fuentes cristianas sino en el más rancio paganismo: «Sí, Platón, tienes razón: nuestra alma es inmortal. Un Dios es quien le habla, un Dios vive en ella. ¿De dónde procedería, si así no fuese, ese gran presentimiento, ese disgusto por los falsos bienes, ese horror a la nada?»

En cuanto a la Iglesia y a los sacramentos, es mejor dedicarles un apartado en exclusiva y completar ahora algunas otras cosas esenciales de la fe católica.

Por ejemplo, lo referente a la Virgen María. Dicen que las cosas de la madre se entienden más con la cabeza que con el corazón y que por eso los hombres del sur, los latinos, tenemos una sensibilidad mejor adaptada para comprender lo referente a la Virgen, pues ella es esencialmente Madre. Así lo sentía también Unamuno, que pasó por una grave crisis religiosa que le hizo perder la fe a raíz de la muerte de su hijo, pero que en esa situación llegó a decir: «He llegado hasta el ateísmo intelectual, hasta imaginarme un mundo sin Dios, pero ahora veo que siempre conservé una oculta fe en la Virgen María». Así lo confirma también un pueblo como el nuestro, que no siempre practica la fe que tiene, pero que jamás deja de acudir a venerar a la patrona de su lugar natal cuando llega el día de su fiesta.

La fe nos enseña, con respecto a María, que ella es la Madre de Jesús y, por ello, la Madre de Dios. Pero ella no es Dios, sino un ser humano como nosotros, por lo cual el culto que le es debido no es de adoración sino de veneración. María fue concebida sin pecado original, pero no por eso dejó de ser redimida por Cristo, como los demás mortales; en su caso, la «curación» fue preventiva y le llegó, como si fuera una vacuna, antes de que hubiera contraído la enfermedad. La limpieza original de María no le hizo libre de tentaciones y por tanto tampoco de mérito personal; también Adán y Eva fueron concebidos sin pecado original y luego pecaron. María, en cambio, supo ser siempre «la esclava del Señor», la persona dispuesta a escuchar la voz de Dios y a secundar su voluntad. Esto hizo de ella no solo la Madre, sino también la primera y mejor discípula de su Hijo, la que nunca le falló -como se puso a prueba en el Calvario-, la que no necesitó de la aparición de ángeles para saber que su Hijo había resucitado tal y como lo había anunciado. El amor de Jesús por María era el de un buen hijo por su madre; hizo por ella lo que cualquier hijo, de poder, haría por aquella a la que le debe el don de la vida, es decir, le evitó el sinsabor de la muerte y de ahí el dogma de la Asunción de María a los Cielos, donde sigue viva para cumplir con la misión que su Hijo le encomendó: ser la madre de sus hermanos, los hombres, e interceder continuamente por ellos ante Dios Todopoderoso.

Quizá a algunos les parezca el conjunto del Credo fácil de aceptar, pero con algunos puntos costosos para la razón humana. No lo son tanto y, en todo caso, no son en absoluto irracionales. En el fondo, lo esencial es creer que Dios existe y si esto se acepta, ¿quién puede poner límites al poder de Dios? Lo que para nosotros es imposible no lo es para Dios, pues si lo fuera ya no sería tal y estaríamos creyendo en un absurdo. Si Dios es Dios, si aceptamos que de sus manos surgió el Universo todo, ¿qué representa para su poder la encarnación de Cristo sin mediación de varón, o la transubstanciación eucarística, o la asunción de María en cuerpo y alma al cielo? Sin silenciar nuestra razón, dejemos a nuestra intuición que hable, pues ella también forma parte de nosotros; no olvidemos que no somos solo cabeza y que, como decía Paul Valéry, «algunas veces la razón parece ser la facultad de nuestra alma que nos impide comprender nada de nuestro cuerpo».

El amor es lo que mueve a Dios, porque Dios es amor; por amor, Dios creó, Dios se encarnó, Dios subió a la Cruz y resucitó, Dios se quedó en la Eucaristía para estar siempre a nuestro lado. Dios todo lo hizo por amor y lo único que no tiene sentido es que creamos en algo que vaya en contra del amor de Dios; eso sí que sería imposible e increíble.

LA MORAL, UN RETO DE SIEMPRE

«Si vivimos y perseguimos el ideal pagano de una propia perfección sencilla y racional, habremos de acabar donde el paganismo acabó. No quiero decir que debamos acabar en la destrucción. Quiero decir que debemos acabar en el cristianismo.» (Gilbert K. Chesterton)

«No por ser muchos descubriréis la verdad, ni ahogareis la razón porque gritéis unidos.» (R. Tagore)

Soy consciente de que el apartado correspondiente a la moral católica es el que aparta a más personas de la religión, aunque quizá no de la fe. Apenas empiezas a hablar de Dios con alguien que está alejado de la práctica religiosa, surge hoy en día el asunto de la moral, sobre todo el relacionado con los distintos aspectos de la moral sexual. Da la impresión de que, si al hombre de hoy se le permitiera hacer lo que quisiera en lo concerniente al sexo, no tendría reparos en entrar de forma masiva en la Iglesia.

Creo que esa es una impresión falsa y, sobre todo, me parece erróneo considerar que sea la elevada ética cristiana la que separe a los hombres de Dios, entre otras cosas porque esa ética no ha sido menos exigente antes ni los hombres menos tentados en otras épocas. Chesterton, el gran escritor inglés converso al catolicismo y al que me referiré en muchas ocasiones en este capítulo, decía con su habitual lucidez: «No hay palabra de verdad en que las ideas de Jesús de Nazaret fuesen adecuadas a su tiempo y no lo sean ya al nuestro.

El final de su historia sugiere quizá hasta qué punto eran precisamente inadecuadas a su tiempo».

Más aún, estoy absolutamente convencido de que la moral cristiana es, en lugar de un inconveniente, un profundo atractivo para todas aquellas personas generosas, nobles y buenas que reflexionan sobre el devenir de la sociedad actual y se dan cuenta de la profunda degeneración ética en la que nos estamos precipitando. Esas personas, a imitación de las mejores que había en la sociedad pagana en la que surgió el cristianismo, vuelven sus ojos esperanzadas hacia una fe que les anima a luchar para alcanzar los más altos ideales éticos con que pueda soñar el hombre. El mismo Gandhi, tan admirable en su radical pacifismo, no dudaba en decir que el sermón de la montaña, es decir el mensaje de las bienaventuranzas, le había reconciliado con el cristianismo, a pesar de ser esta la religión de los opresores de su patria.

Esas mismas personas -me refiero a las que aspiran a un ideal ético noble y elevado que no esté basado en motivaciones religiosas- sienten con frecuencia un fuerte desánimo al ver que poco influyen en las masas -y aun en las minorías- sus esfuerzos por difundir sus ideas; por eso no es extraño, como digo, que muchos vuelvan sus ojos hacia el resplandor de Dios, lo mismo que los sabios de Oriente llegaron hasta la cueva de Belén siguiendo la estela de una luz que brillaba en la oscuridad de la noche y que iluminaba sus tinieblas. Además, para muchos de ellos, el hecho de que en el contexto de permisividad actual, la Iglesia se niegue a bajar el listón y no ceda a las presiones ni a los chantajes, no es motivo de disgusto sino de admiración y de atractivo.

Vuelvo a Chesterton para servirme de él como ejemplo de un hombre inquieto espiritualmente que se hizo católico decepcionado de la flexibilidad con que su Iglesia natal -la anglicana- modificaba dogmas y moral según los vientos de la moda. El escritor decía lo siguiente: «No quiero pertenecer a una religión en la cual se me permite poseer un crucifijo. Tengo el mismo sentimiento respecto a esa otra cuestión, más expuesta a la controversia de los hombres, la de la Santísima Virgen. Si a la gente no le agrada ese culto, tiene razón en no ser católica. Pero quiero que los que son católicos se llamen católicos; que esa idea les sea no solo grata, sino que la amen, y la amen ardientemente, proclamándola con orgullo por encima de todo. Quiero que se me permita tener entusiasmo por la existencia del entusiasmo; y no que se tolere fríamente mi mayor entusiasmo como si fuera una excentricidad personal».

Así pues, no solo estoy convencido de que la Iglesia no debe meterse en «rebajas por fin de temporada» en asuntos de moral, con el fin de atraer a unas masas cada vez más relajadas éticamente y cada vez menos proclives a aceptar sacrificios, sino que estoy seguro de que la Iglesia atraerá tanto a las minorías como a las mayorías si no cede a la presión ambiental y continúa presentando, limpio y puro, el genuino mensaje evangélico, también en lo que a los aspectos éticos se refiere. En realidad, el que busca a Dios, busca a Dios y no a un sucedáneo de Dios; los sucedáneos cansan rápidamente y la historia está llena de cadáveres que levantaron la bandera de la acomodación a las modas entonces imperantes.

Dicho esto, creo que es de justicia añadir otra cosa que completa lo anterior: normalmente se hace una pésima presentación de la moral cristiana, de modo que la imagen que tiene la mayor parte de la gente de ella es más una caricatura que una realidad. Para muchos, incluso para buena parte de los practicantes, la moral no está fundamentada, no se conoce la raíz vital que todo lo alimenta; la ética cristiana, para la mayoría, se reduce a un conjunto de prescripciones negativas que parecen dirigidas a prohibirte todo aquello que humanamente te apetece o a sostener un orden social básico. Es necesario, pues, fundamentar la moral,- explicar el porqué de las cosas, y luego pedir al que desee beber el vino puro y sin adulterar que asuma el sacrificio correspondiente.

Lo primero que hay que hacer para fundamentar esa moral, la primera y básica piedra del edificio de la moral cristiana es la de afirmar que no es el hombre quien tiene la iniciativa. El hombre, por muy degradado que esté, tiene sentimientos éticos, al menos hacia los de su sangre o los de su clan; esos sentimientos son una huella de Dios en su alma, pero no bastan, porque, como ya hemos dicho, corren el riesgo de ser manipulados por las conveniencias personales o por las modas, cuando no sufren el desgaste del cansancio y la rutina. En el caso cristiano, y sea cual sea el nivel ético que anide en el corazón de cada individuo, la clave está precisamente en que no es la persona la que tiene la iniciativa con un deseo instintivo de hacer el bien y evitar el mal, sino que esa iniciativa la tiene Dios.

Dios se le revela al cristiano como un Ser Supremo, como el Todopoderoso, como el Creador, pero sobre todo como alguien que le quiere. Que lo quiere con tal profundidad y arrebato que se ha hecho hombre por amor a él, que ha muerto en la cruz por amor a él y que ha resucitado por amor a él. Dios se revela, a través de Cristo, como Amor; no como un amor cualquiera, un amor humano de esos que duran una temporada o que sucumben ante el esfuerzo, sino como el amor mayor que el hombre pueda imaginar, pues además de ser un amor que acepta morir por el ser amado, es el amor de todo un Dios, de ese ser tan poderoso al que le hubiera bastado un pensamiento para deshacer la Creación entera.

Por tanto, la fundamentación de la moral cristiana, el suelo en el que el creyente va a poner los pies de una forma segura e inamovible, no está en su propio interior, en sus deseos de hacer el bien, tan sujetos a modificación y a veces tan bajos. Está en algo que no

puede cambiar porque no depende de él ya que es externo a él. Está
en la fe en que Dios existe y en que ese Dios es amor infinito para
él. Y cuando digo «para él» no me refiero a un amor que se derrocha
sobre la humanidad entera y del cual a cada uno le toca una peque-
ñísima ración, sino a un amor que es integro para cada individuo,
para cada parte de esa humanidad.

Quizá alguno podría pensar, erróneamente, que merecía la pena
el sacrificio redentor de Cristo para salvar a tantos millones de hombres; en cambio, el cristianismo nos enseña que todo hubiera sucedido
igual si hubiese hecho falta salvar a uno solo de esos hombres. Esta es
una de las mayores riquezas de la ética cristiana, la de permitir al individuo sentirse importante, sentirse considerado con valor en sí
mismo y no solo como miembro anónimo e insignificante de una multitud numerosa. Chesterton, de nuevo, lo intuyó magníficamente y lo
expresó al escribir sobre una de las figuras más atractivas que ha producido la Iglesia católica, San Francisco de Asís. Refiriéndose a él, verdadera replica humana de Cristo, decía: «Tratamos de un hombre a
quien los árboles impiden ver el bosque. Necesitaba ver cada árbol
como cosa distinta y casi sagrada. No llamó madre a la Naturaleza;
llamaba hermano a un determinado gorrión o jumento. Para él un
hombre era siempre un hombre y no desaparecía en la espesa multitud.
Nunca existió un hombre que viera aquellos ojos pardos y ardientes
sin tener la certidumbre de que Francisco se interesaba realmente por
él y no añadido a los restos de una especie de programa social».

Así, tal y como describe Chesterton a San Francisco, solo que en
grado sumo, fue Cristo. Para el Señor, la viuda de Naín no era «el caso
número veintiséis» que tenía que resolver y mucho menos una ocasión
de hacer un gesto extraordinario resucitándole al hijo para que los
demás creyeran en él; aquella viuda que acababa de perder a su único
hijo, lo mismo que el leproso, el muchacho poseído, el paralitico, el

mudo o el sordo, eran criaturas únicas e irrepetibles, hijos de su Padre y hermanos suyos, amados por él en su originalidad y por los que estaba dispuesto a dar su vida con tal de salvarles. Dios existe, Dios es amor y Dios es amor para ti, pequeño o gran hombre, sujeto anónimo o personaje famoso, joven triunfador o anciano abandonado en un asilo. Dios te quiere tanto que ha llegado al abismo de locura de hacerse hombre para demostrártelo y ha aceptado la tortura de la Cruz para salvarte y para que tuvieras pruebas irrefutables de la inmensidad de ese amor.

Esta es la fundamentación de la moral cristiana. Dicho esto, como en una partida de ajedrez, el Señor ha movido su pieza y ahora espera a que tú muevas la tuya. Es Chesterton, una vez más, quien nos da una pista sobre cuál ha de ser ese movimiento: «Constituye la más alta y la más santa de las palabras el hecho de que quien sabe muy de veras que no podrá pagar su deuda, esté pagándola siempre, echando siempre cosas a un abismo sin fondo de insondable gratitud». Es la gratitud el movimiento que anima el alma del cristiano, una vez que este ha comprendido y experimentado el amor de Dios hacia él. No es el interés, ni el miedo, lo que le mueven a actuar; recordemos aquel soneto magnifico del siglo de Oro español:

No me mueve, mi Dios, para quererte
el cielo que me tienes prometido,
ni me mueve el infierno tan temido
para dejar, por eso, de ofenderte.
Tú me mueves, Señor, muéveme el verte
clavado en una Cruz y escarnecido,
muéveme ver tu cuerpo tan herido,
muévenme tus afrentas y tu muerte.
Muéveme, en fin, tu amor, y en tal manera,
que aunque no hubiera cielo yo te amara
y aunque no hubiera infierno te temiera.

> *No me tienes que dar porque te quiera,*
> *pues aunque lo que espero no esperara*
> *lo mismo que te quiero te quisiera.*

La gratitud, esta será siempre la mejor causa por la que el cristiano tendrá que actuar. Ni por miedo al infierno ni tan siquiera por el interés de no pasarse una eternidad en la dolorosa separación de Dios; la gratitud es el sentimiento que debe animar su alma, aunque en ese movimiento hacia el bien pueda estar auxiliada por los otros dos sentimientos, humanos al fin aunque menos nobles.

Gratitud es, pues, la consecuencia que Dios ha provocado en la persona al quererla con un amor infinito. Esa gratitud, que es sinónimo de amor, es la que lleva al hombre a actuar para evitar el mal y, no lo olvidemos, para hacer el bien. Porque este es el otro aspecto que suele estar mal explicado a la hora de referirse a la moral cristiana: esta no consiste solo en no hacer cosas malas, sino que radica especialmente en animar al hombre a que haga cosas buenas. El esquema de los diez mandamientos -que es un esquema ético precristiano, pues procede de la revelación que Moisés tuvo en el Sinaí- debe ser completado con una moral basada en el amor; de hecho, Jesús no les dice a sus discípulos: «Os recuerdo que debéis cumplir los mandamientos que enseñó Moisés», ni tampoco: «Amaos unos a otros como Moisés nos mandó». Sus palabras tuvieron el sonido de la novedad e incluso de la revolución: «Os dejo mi mandamiento: amaos unos a otros como yo os he amado.» Amar es, pues, el único precepto ético Cristiano y a él deben estar sujetos todos los demás; pero no solo amar, sino amar como Cristo amó, es decir: dispuestos a dar la vida por la persona amada si hiciera falta, e incluso dispuestos a hacerlo por los mismos enemigos. Con afinada certeza lo expresó San Agustín cuando afirmó que «la medida de amar a Dios es Dios mismo; la medida de este amor es amarle sin medida».

La ética cristiana es, por eso, una ética positiva, una ética volcada a la acción más que a la negación. De ahí que sean muchos los que permanecen en la mitad de la moral cristiana cuando solo reflexionan y se arrepienten del mal que han hecho, sin tener en cuenta el bien que han dejado de hacer.

Podemos ver a continuación algunas de las exigencias éticas cristianas, tal y como las enseña el Catecismo de la Iglesia, utilizando el esquema de los diez mandamientos pero a la luz de la espiritualidad positiva del Evangelio:

PRIMER MANDAMIENTO: «AMARÁS A DIOS SOBRE TODAS LAS COSAS»

Este mandamiento enseña a darle a Dios el lugar a que tiene derecho en la propia vida, tanto en el corazón como en las obras. Se puede ser creyente o no serlo, lo que no se puede es jugar a la fe o a la increencia, lo cual se hace cuando no se toman en serio las consecuencias que tienen tanto la fe como el ateísmo. Los pecados más corrientes contra este mandamiento son la idolatría y el sacrilegio, aunque también se falta contra él cuando se participa en rituales mágicos o cuando se orienta la propia vida según las predicciones de los horóscopos, olvidando que el hombre es dueño de su propio destino y que este no viene determinado por los astros.

En realidad, la idolatría como tal es muy poco frecuente. Se da, en cambio, cuando se «divinizan» ciertos valores que de por sí no son malos. Hay gente que «idolatra» su trabajo y que, por él, abandona a la familia; los hay que tienen en el primer lugar de su vida la diversión, el sexo, el alcohol, la droga y, sobre todo, el dinero; todos esos pecados implican una falta directa contra la soberanía que Dios debe ocupar en el corazón humano. Cuando esta soberanía es respetada, la vida humana se convierte en algo semejante a una habitación ordenada en la cual cada cosa esta en su sitio justo y recibe el valor que merece; así, si Dios esta en el primer lugar, la familia ocupará un lugar muy importante, lo mismo que lo ocupará el trabajo o la patria, los amigos o el descanso, las aficiones o las obligaciones. El creyente, al someter voluntariamente su libertad de decidir qué es bueno y qué es malo, acepta los criterios de moralidad que Dios le ofrece; con ello entra en un estilo de vida marcado por una sabiduría superior que le enseña a amar a los amigos e incluso a los enemigos, a dedicar un tiempo al trabajo y otro al descanso, a vivir con equilibrio y madurez en las distintas circunstancias de la vida.

SEGUNDO MANDAMIENTO: «NO TOMARÁS EL NOMBRE DE DIOS EN VANO»

Se peca contra este mandamiento con las blasfemias o los insultos contra Dios, la Virgen o los santos. También se falta contra él por el perjurio.

En realidad, cada vez hay menos gente que blasfema y, los que lo hacen, probablemente son víctimas de una pésima educación más que gente llena de mala intención y de deseo de ofender. Las blasfemias hoy se producen más a nivel de los medios de comunicación que a nivel individual; estamos saturados de ofensas a la religión, a la Iglesia y a veces a Dios mismo o a los santos, en películas, en chistes, en artículos o en programas de Televisión; resulta muy triste comprobar cómo eso se produce solo contra la Iglesia católica, mientras que nadie se atreve a hacerlo contra el Islam, por ejemplo, pues todos saben cuáles podrían ser las consecuencias para su salud; como la Iglesia no se defiende, se la vitupera; como los católicos no se asocian para boicotear los programas o las empresas que ofenden su fe, se les desprecia continuamente. Creo que la Iglesia hace bien en mantenerse en el camino de la no violencia, que es el de Cristo, y hace bien en amar incluso a sus enemigos; pero los que la ofenden deberían pensar que están haciendo un papel miserable al golpear impunemente contra quien ha optado por encajar esos golpes en silencio.

En cuanto al perjurio y sus similares, cada vez abundan más los que incumplen la palabra dada, especialmente cuando han puesto a Dios por testigo de ella como sucede en el caso de los juramentos; basta con pensar el mal ejemplo que dan a veces los políticos que han jurado su cargo y que luego se aprovechan de él para medrar, en lugar de dedicarse a servir al pueblo; o los perjurios cometidos ante los tribunales de justicia, con las consecuencias de desconfianza en el prójimo que contribuyen a sembrar.

TERCER MANDAMIENTO: «SANTIFICARÁS LAS FIESTAS»

Es, probablemente, el mandamiento mas «popular» junto con el sexto, aunque por causas distintas. Obliga a dedicar a Dios un tiempo especial en el día en el que se recuerda su resurrección, el domingo; ese tiempo ha sido identificado tradicionalmente con la participación en la Santa Misa, aunque esa participación suponga más un mínimo que un máximo. La identificación entre vida cristiana y misa ha sido tan grande que, de hecho, se considera que una persona es practicante no porque dé limosna a los pobres, respete a sus mayores, no mienta o sea fiel a sus promesas matrimoniales, sino porque va a misa los domingos. A todas luces, esta identificación es reductiva, ya que sería demasiado pobre y demasiado fácil ser cristiano si solo consistiera en ir al templo durante tres cuartos de hora una vez a la semana. Aunque, hay que decir a favor de ella, que ha triunfado como marca que identifica el grado de fidelidad del cristiano con su fe porque es más fácil de medir que el cumplimiento de los otros mandamientos, los cuales pasan muchas veces desapercibidos en la intimidad individual o familiar.

La misa es, ciertamente, muy importante. Allí el individuo se encuentra con la comunidad y juntos alaban a Dios, dan testimonio público de su fe y reciben el auxilio de los sacramentos; en la misa se renuevan los conceptos fundamentales de la ética y de la moral, para que el creyente no los olvide ante el desgaste que le supone el roce con un mundo que se rige por criterios diferentes e incluso a veces hostiles. Pero la misa no lo es todo y para eso están los otros nueve mandamientos y las virtudes que los completan. Además, para el buen cristiano no debería serle suficiente la misa para «santificar las fiestas»; el domingo debería ser también un día para la familia, para la meditación, para el descanso del alma y del cuerpo.

Entre los judíos se dice: «No es el pueblo judío el que ha guardado el sábado, sino que es el sábado el que ha guardado al pueblo judío». Es decir, si no hubieran conservado, contra tantas adversidades, la observancia de sus preceptos litúrgicos, hace mucho tiempo que habrían desaparecido. Lo mismo podemos decir nosotros; sin la norma que nos recuerda el deber de dar culto a Dios los domingos, poco a poco nos diluiríamos en una sociedad tan secularizada y laicista como la actual.

CUARTO MANDAMIENTO: «AMARÁS A TU PADRE Y A TU MADRE»

Este mandamiento nos enseña a respetar y amar a nuestros padres y, por extensión, a todos aquellos que están revestidos de legítima autoridad. Se trata, pues, de cuidar de la familia y también de la ciudad y de la patria.

La Iglesia enseña, a cada miembro de la familia y a cada miembro de la sociedad, que tiene, con respecto a los demás, un conjunto de derechos pero que también tiene un conjunto de deberes. Así, si el hijo tiene derecho a que sus padres respeten su libertad y su individualidad, tiene también la obligación de respetar y obedecer a sus padres, de procurar que en la casa exista un clima de amor en lugar de convertir el hogar en una pensión gratuita; en cuanto a los padres, son ante todo esposos y por tanto tienen, el uno hacia el otro, unos deberes y unos derechos que se resumen en el amor recíproco que prometieron tenerse el día en que se casaron y que se expresa a través de la fidelidad, la comprensión, el perdón y la ayuda mutua. Con respecto a los hijos, tienen el derecho de educarles, puesto que son los primeros responsables de ello, antes que el Estado; a la vez tienen el deber de procurarles las condiciones físicas y espirituales que necesitan para alcanzar un desarrollo armónico pleno.

Con respecto a la sociedad, la Iglesia enseña al ciudadano que tiene el deber de colaborar con las legítimas autoridades en la construcción de un mundo mejor, un mundo en el que reine la verdad, la justicia, la solidaridad y la libertad. El amor debido a la Patria forma parte de este mandamiento, siempre que no se la idolatrice como hacen los nacionalismos exacerbados. Pero enseña también que es preciso obedecer a Dios antes que a los hombres y, por tanto, que no hay que cumplir aquellos preceptos que sean contrarios a la ley de

Dios e incluso que hay que hacer todo lo posible, dentro del espíritu no violento del Evangelio, para que se deroguen las leyes injustas. A los que tienen algún poder público, la Iglesia les pide, si son cristianos, que respeten los derechos fundamentales de la persona y el ejercicio de su libertad. No se pide la vuelta a los Estados confesionales, sino que se reclama una beneficiosa colaboración entre la Iglesia y el Estado para el bien común; esa colaboración será tanto más fructífera y auténtica cuanto más se respeten los derechos humanos, incluidos los derechos a la vida y a la libertad de conciencia y de expresión.

Quinto mandamiento: «No matarás»

Es, probablemente, el mandamiento más conculcado y menos respetado de todos. Se peca contra este mandamiento, en primer lugar, a través de la muerte procurada consciente o negligentemente contra otra persona. Se peca también, y muy gravemente, mediante el aborto y la eutanasia. Es una falta contra este mandamiento todo lo que atente gravemente contra la salud, como por ejemplo el consumo excesivo de alcohol, el tabaco, las drogas o cualquier estimulante que ponga en peligro la vida. También es una falta, que puede llegar a ser grave, la conducción temeraria, porque se arriesga la vida propia y la de otras personas. Por último, los atentados contra la naturaleza, tales como incendios forestales o contaminación grave del media ambiente, así como la brutalidad ejercida contra los animales, son también pecados contra el quinto mandamiento, pues la vida del hombre está íntimamente ligada a la naturaleza creada por Dios y no puede sobrevivir si esta no existe.

En este mandamiento la Iglesia enseña su doctrina sobre la guerra y sobre la pena de muerte, así como sobre el terrorismo, la tortura, el secuestro y cualquier otro tipo de extorsión o amenaza contra la vida. En principio, la Iglesia, siguiendo el ejemplo de Cristo, que fue calificado de Príncipe de la Paz, está en contra de toda violencia y reclama la vía del diálogo y de la negociación como la mejor manera de solucionar los inevitables conflictos que surgen entre los hombres o entre las naciones. Se niega a aceptar que la ley que se imponga sea la del más fuerte y defiende los derechos de los débiles y de las minorías, incluso cuando estos sean conculcados por mayorías absolutas legítimamente conseguidas. Nunca, enseña la Iglesia, se podrán vulnerar los derechos de los pobres, de los inocentes, de las minorías, por mucho que existan legislaciones convenientemente aprobadas que justifiquen esas violaciones; la historia nos enseña que algo así sucedió con el nazismo y que, con el apoyo de las mayorías accedió al poder un partido que construyó los campos de concentración y provocó las matanzas de los judíos. Nunca se podrá utilizar la tortura, ni el recurso al terrorismo, ni el secuestro, por muchas justificaciones ideológicas que se quieran emplear o por mucho que se recurra para justificar esas prácticas a las «razones de Estado». Se rechaza, además, la «Carrera de armamentos», la cual se considera «una plaga extremadamente grave de la humanidad y lesiva de los intereses de los pobres hasta un extremo intolerable».

En todo caso, cuando a pesar del diálogo la guerra estalla, la Iglesia ha elaborado desde hace siglos una teoría, la de la «guerra justa», según la cual estaría permitida una guerra defensiva contra el agresor de la propia patria, pero nunca ofensiva o de conquista; también hay que tener en cuenta la relación entre los medios a emplear y el fin que se quiere conseguir, pues si la utilización de esos medios es más destructiva que el bien que se quiere preservar mediante ellos, estos no estarán nunca justificados. Siempre se recomiendan, en todo caso, la vía de la negociación y del diálogo como la que hay que procurar por todos los medios para solucionar los conflictos. Además, nunca se le podrá hacer al agresor un daño mayor que el que él pretendía infligirnos a nosotros; así, resulta injustificado defenderse de un insulto con un golpe, o de un robo con un crimen.

Esta teoría de la «guerra justa» se inscribe en el concepto más amplio de la «legítima defensa». Es este un concepto muy importante en la moral cristiana; por un lado, se permite al individuo que renuncie a esa legítima defensa si lo desea, pero se le obliga a que la ejerza cuando están amenazadas aquellas personas que dependen de él. Así, por ejemplo, uno podría dejarse robar e incluso matar sin defenderse, pero no puede permanecer cruzado de brazos si ve que están robando o matando a un hijo suyo o a una persona agredida injustamente. A nivel social, esto significa que el Gobierno tiene el derecho y el deber de velar por el cumplimiento de las leyes y por la paz pública, lo cual implica un sistema judicial y policial que defienda a los ciudadanos honrados de los criminales. En relación con la pena de muerte, la Iglesia está a favor de su desaparición y aboga por ello, porque considera que esta solo se justificaría en el caso de que no exista otro medio para garantizar que el criminal no vuelva a cometer los graves delitos en los que incurrió; el magisterio pontificio de Juan Pablo II ha sido en este punto suficientemente claro: en las circunstancias actuales no hay ya justificación posible para la pena de muerte, puesto que no se puede alegar que los Estados modernos no dispongan de los medios para hacer inofensivo al criminal, pues para eso están los extraordinarios sistemas de seguridad que protegen las cárceles.

Con ser muy graves y crueles las guerras, no son estas las que producen las mayores mortandades entre los hombres. En este memento mueren más personas por el aborto que por las guerras, con el agravante de que los niños no nacidos son asesinados por sus propias madres y con el beneplácito de la legislación civil, que ha hecho de ella una práctica cada vez más habitual. Ante esta gravísima situación, y ante la ampliación de los atentados contra la vida humana a la última etapa de la misma mediante la eutanasia, la Iglesia está llevando a cabo una verdadera cruzada a favor de la vida. Para ello recuerda a los cristianos que nunca estará permitido quitarle la vida a un inocente y que, por muy grave que sea la situación el único que no tiene la culpa de nada es el nuevo ser que está a punto de nacer; por otro lado, recuerda, en consonancia con la ciencia, que el no nacido es un ser humano, por más que durante el embarazo dependa físicamente de la madre para poder vivir; rechaza, pues, que la mujer tenga plena disponibilidad para matar la criatura que lleva en su seno, porque es científicamente falso que esa criatura sea una parte de su cuerpo.

Pero la Iglesia no se limita a condenar el aborto y la eutanasia, sino que, más bien, pide a los cristianos que lleven a cabo acciones favorables a la vida. Acciones encaminadas a ofrecer alternativas válidas y accesibles a las mujeres que atraviesan situaciones difíciles y que, debido a ellas, se ven abocadas a la práctica del aborto. Los cristianos, del mismo modo, son instados por la Iglesia a estar al lado de los que sufren, de los enfermos y de los ancianos, para darles el cariño que necesitan y alejar de su mente la tentación de solicitar la eutanasia; en este campo, la Iglesia enseña que siempre estará permitido utilizar los medicamentos necesarios para calmar los dolores, aunque estos, como contraindicaciones, acorten la vida de quien los consume; enseña también que no es obligatorio utilizar todos los medios que están al alcance de la ciencia para conservar artificialmente la vida y que, en ciertas ocasiones, resulta mejor para el ser humano morir con dignidad y paz rodeado de los suyos que padecer una inhumana agonía en medio de tubos y cables.

En definitiva, el quinto mandamiento nos enseña a luchar contra la muerte y a luchar a favor de la vida, a rechazar la guerra y a buscar por todos los medios la paz; a trabajar con esfuerzo para que se corrijan las injusticias sociales y para aliviar e incluso poner fin al azote del hambre que todavía hoy castiga a millones de personas en el mundo. La paz solo vendrá, como han repetido tantas veces los Papas de los últimos siglos, de la mano de la justicia y del respeto a los derechos humanos.

SEXTO Y NOVENO MANDAMIENTOS: «NO COMETERÁS ACTOS IMPUROS, NI SIQUIERA CON EL PENSAMIENTO»

Para muchos, la moral de la Iglesia radica en el tercer y en el sexto mandamiento. Creen que, cumplidos estos, todo lo demás está permitido. En cambio, la ética cristiana, como se ve, es muchísimo más rica y amplia, aunque no por eso se desprecia lo que constituye una de las dimensiones esenciales del ser humano, como es la de la sexualidad.

Estos dos mandamientos, el sexto y el noveno, pretenden educar al hombre en el control de sí mismo para que canalice uno de sus principales instintos -el que garantiza la supervivencia de la especie- y evite así que se convierta en algo dañino para él o para los demás. La Iglesia ni desprecia ni minusvalora la sexualidad. Precisamente porque le da una gran importancia, ya que el cuerpo es tan humano como el alma en la persona, es por lo que vela para que la dimensión corporal no se imponga a la espiritual y termine por destruir al conjunto, al ser humano.

Se cumple este mandamiento practicando una sexualidad orientada al fin para el que Dios la creó: la procreación. Las características específicamente humanas hacen que, al nacer, no le baste solo la presencia materna, ni que le sea suficiente durante un corto tiempo la protección de los progenitores. Necesita una familia y una familia que sea estable; la necesita tanto física como psíquicamente. Por eso, para cumplir lo dispuesto por Dios Creador, con la certeza de que esa disposición es lo mejor para el ser humano y para el conjunto de seres humanos que es la sociedad, es por lo que la Iglesia interpreta este mandamiento pidiendo a los cristianos que lleven a cabo el ejercicio de su sexualidad dentro del matrimonio, estando abiertos a la vida que puede venir como fruto de ese amor.

Eso no significa que la sexualidad solo se pueda practicar de cara a la procreación, o que el placer sea mal visto por la Iglesia; lo que la moral católica enseña es el respeto a los ritmos de la naturaleza impresos en el cuerpo y en la psique humana, ritmos «ecológicos» que no se pueden violar sin graves consecuencias, como no se puede manipular la naturaleza y destruir la capa de ozono sin arriesgarnos a una catástrofe climática; respetando esos biorritmos, el ejercicio de la sexualidad está plenamente permitido en el matrimonio, aunque no se vaya a traducir directamente en el aumento del número de hijos.

Por otro lado, la Iglesia recuerda a los esposos cristianos que deben practicar una paternidad responsable, teniendo en cuenta el aumento de la población mundial tanto como las propias condiciones y capacidades para educar con dignidad a los hijos. No se trata, pues, de que haya que tener «todos los hijos que Dios envía», sino que habrá que planificar ese número, pero siempre respetando las leyes de la naturaleza, las cuales llevan impresa la firma de Dios.

Pero no basta con ejercer el sexo dentro del matrimonio. También en él pueden existir limitaciones desde la ética cristiana. Como, por ejemplo, cuando la mujer o el marido no lo desean. El matrimonio, enseña la Iglesia, no puede dar cobertura a «violaciones legales», porque el ejercicio de la sexualidad es un acto de amor y no puede haber amor cuando hay imposición. Solo hay amor cuando hay entrega recíproca y libre, preocupación por el bien del otro, relación cordial durante todo el día y no solo en la cama.

Séptimo y décimo mandamientos: «No robarás y no codiciarás»

«No robarás.» Ahí está dicho todo lo que prescriben estos mandamientos. Y, sin embargo, hay muchos aspectos de ellos que pasan desapercibidos para la mayoría.

Por ejemplo: no robar significa cuidar y respetar las cosas públicas, que tienen como dueño al conjunto de la sociedad; no robar es también pagar lo debido a quien se tiene empleado, o cumplir honestamente con la responsabilidad profesional; se roba, aunque no se de uno cuenta de ello, cuando se maltrata a la naturaleza, porque se está privando a las siguientes generaciones de un bien que les es debido; se roba, aunque uno no sea directamente responsable, cuando se compran los productos del Tercer Mundo a bajo precio, mediante la inflexible ley de la oferta y la demanda, por lo que se restituye lo robado cuando se dan limosnas, cuando se ayuda a esos países mediante subvenciones y, mejor aún, cuando se trabaja para que cesen las injusticias y las explotaciones.

Así pues, no se tratará solo de no robar, sino de cumplir con la propia obligación laboral lo mejor posible -incluido el estudio-, de colaborar en la causa de la justicia, de respetar la naturaleza y de ser generosos a la hora de ayudar a quien esta en necesidad. Y, por supuesto, si se ha robado se trata de restituir a su legitimo dueño o a sus herederos lo que les es debido.

En cuanto a la codicia y a la envidia -dos venenos del alma, causantes de tantos daños-, sucede igual que con el noveno mandamiento: Dios nos enseña que antes de cometerse una mala acción, es probable que se haya faltado con el pensamiento; si controlas tu mente, controlarás más fácilmente tus actos. Si no codicias, probablemente no robaras, puesto que habrás cortado de raíz la tentación que te lleva a quitarle al prójimo lo suyo. Si no envidias, probablemente no torpedearás al prójimo en su camino, haciéndole tanto daño que, con razón, se dice a veces que «el hombre es lobo para el hombre», y encima sin necesidad.

OCTAVO MANDAMIENTO: «NO DIRÁS FALSO TESTIMONIO NI MENTIRÁS»

Decir mentiras es, aparte de un pecado, un gesto de cobardía y de mala educación. El mentiroso es alguien de quien no te puedes fiar; por tanto, es alguien que se labra su propia ruina, porque aleja de sí a los que pudieran ofrecerle el don de su amistad. Por si fuera poco, con frecuencia la mentira implica un daño para el prójimo, puesto que suele ir unida a la negación de una responsabilidad, que se carga en cabezas ajenas; se miente para negar que se ha hecho tal o cual cosa, con lo que la culpa recae sobre un inocente.

La mentira tiene, como todo, sus grados. El peor es aquel que va unido al perjurio; esto se produce cuando, en los juicios, se miente bajo juramento. Es muy dañina la mentira cuando tiene como objetivo decir falsedades acerca del prójimo; en este caso se le llama calumnia. A. veces es dañino incluso decir la verdad, pues hay verdades que no tienen por qué saberse; a esto se le llama maledicencia y se incurre en ello cuando estás revelando defectos del prójimo que no tienen por qué darse a conocer. En el caso de que la mentira haya dañado la reputación ajena o le haya causado algún perjuicio, hay obligación de restituir el honor dañado, lo cual es bastante difícil cuando se ha hecho a través de los medios de comunicación. Con frecuencia, estos pecados quedan impunes, porque la legislación es muy ambigua al respecto, y el daño que se hace a las personas afectadas dura toda la vida. Dicen que reparar el mal hecho por una calumnia es más difícil que recoger las plumas de una almohada esparcidas por el viento.

Por eso, este mandamiento afecta también a esos medios de comunicación. Pide a los profesionales que trabajan en ellos, y especialmente a los directivos y responsables de los mismos, que tengan en cuenta no solo el negocio, la venta de ejemplares o la audiencia que puedan conseguir, sino también la veracidad de la información, así como el legítimo derecho que tiene cada uno a su vida privada, incluso cuando se trate de personajes públicos.

En este mandamiento la Iglesia contempla también lo referente al secreto profesional, que defiende, siempre y cuando no se pongan en peligro bienes mayores. En esto, como en todo lo demás, la caridad debe ser la medida de las cosas, la más importante regia moral que nos ayude a discernir qué hacer. En cualquier caso, hay secretos profesionales, como el de la confesión, que ninguna legislación tiene derecho a suprimir.

El mandamiento del amor

No se puede terminar este apartado acerca de la moral cristiana sin recordar lo que se dijo al principio: los mandamientos no agotan el Evangelio; son pautas indicativas que nos ayudan a orientar nuestra vida concreta, pero la enseñanza de Cristo va más allá de los mismos. Por ejemplo, con virtudes como la humildad, la esperanza, la misericordia, la paciencia, la comprensión y un sinfín de ellas más. Todas ellas, en definitiva, se unen en una sola, vértice y cumbre de toda la ética cristiana: la caridad. Así lo expresaba, hace ya muchos años, San Gregorio Magno, comentando el libro de Job: «El amor es paciente, porque tolera con ecuanimidad los males que se le infligen. Es afable, porque devuelve generosamente bien por mal. No tiene envidia, porque, al no desear nada de este mundo, ignora lo que es la envidia por los éxitos terrenos».

Es por amor por lo que no hay que robar y por amor hay que dar limosna o defender los derechos de los pobres; es por amor por lo que hay que decir la verdad, tratar al prójimo como a un ser humano y no como a un objeto, ayudar a los padres o sacrificarse por los hijos. El amor es la máxima cristiana por excelencia. Y no un amor cualquiera, sino el amor a imitación de Cristo, que llevó la medida de su amor hasta el sacrificio en la Cruz.

Por si alguno piensa, aún después de esto, que la Iglesia está más preocupada en construir catedrales o en fomentar oraciones que en practicar la caridad, convendría que leyera este antiguo texto de uno de los más importantes «padres» de la Iglesia, San Juan Crisóstomo.

Él nos da la medida de lo que debe hacer siempre el creyente y de cómo quiere Dios ser amado por sus hijos:

«¿Deseas honrar el cuerpo de Cristo? No lo desprecies, pues, cuando lo contemples desnudo en los pobres, ni lo honres aquí, en el templo, con lienzos de seda, si al salir lo abandonas en su frío y desnudez. Porque el mismo que dijo: "Esto es mi cuerpo", y con su palabra llevó a realidad lo que decía, afirmó también: "Tuve hambre, y no me diste de comer", y más adelante: "Siempre que dejasteis de hacerlo a uno de estos pequeñuelos, a mí en persona lo dejasteis de hacer." El templo no necesita vestidos y lienzos, sino pureza de alma; los pobres, en cambio, necesitan que con sumo cuidado nos preocupemos de ellos. ¿De qué serviría adornar la mesa de Cristo con vasos de oro, si el mismo Cristo muere de hambre? Da primero de comer al hambriento, y luego, con lo que te sobre, adornarás la mesa de Cristo. ¿Quieres hacer ofrenda de vasos de oro y no eres capaz de dar un vaso de agua? Y, ¿de qué serviría recubrir el altar con lienzos bordados de oro, cuando niegas al mismo Señor el vestido necesario para cubrir su desnudez? ¿Qué ganas con ello? Dime si no: Si ves a un hambriento falto del alimento indispensable y, sin preocuparte de su hambre, lo llevas a contemplar una mesa adornada con vajilla de oro, ¿te dará las gracias de ello? ¿No se indignará más bien contigo? O, si, viéndolo vestido de andrajos y muerto de frío, sin acordarte de su desnudez, levantas en su honor monumentos de oro, afirmando que con esto pretendes honrarlo ¿no pensará él que quieres burlarte de su indigencia con la más sarcástica de tus ironías? Piensa, pues, que es esto lo que haces con Cristo, cuando lo contemplas errante, peregrino y sin techo y, sin recibirlo, te dedicas a adornar el pavimento, las paredes y las columnas del templo. Con cadenas de plata sujetas lámparas, y te niegas a visitarlo cuando el está encadenado en la cárcel».

Porque el secreto de la ética cristiana, su gran fuerza, estará siempre en entender aquella frase de Cristo: «Lo que hagas al más pequeño a mí me lo has hecho.» Dios, por la encarnación, se ha hecho hombre y desde ese momento cada hombre es huella de Dios, hijo de Dios, presencia de Cristo. «Los pobres son el cuerpo de Cristo que sufre. Ellos son Cristo», dice madre Teresa y por eso ella, y tantos otros, dedican su vida a ayudar y socorrer a quien tiene necesidad, llegando hasta el extremo de dar la vida por ellos.

La vida de oración

Ya se ha hablado de la oración en el capítulo quinto, al tratar de mostrar los modos para volver a creer e incluso para empezar a creer aunque nunca se haya tenido fe.

Como se dijo entonces, hay cosas en las que la práctica hace maestros, y una de ellas es la oración.

Pero este es un asunto tan importante para la vida del hombre que merece la pena volver sobre él. Es importante porque satisface una de esas necesidades intuitivas y primarias que experimentó el ser humano desde su origen, junto a la fe en la otra vida. No es que el hombre sea débil y necesite sentirse protegido, para lo cual invente un «dios» que le ampare; es que el hombre intuye que hay alguien que le trasciende, alguien creador de todo lo que ve a su alrededor, alguien que le atrae poderosamente y en el cual encuentra la plenitud a la que aspira y que no logra satisfacer con las cosas de la tierra. Ese ser trascendente es al que, desde sus más remotos orígenes, el hombre ha llamado Dios. Entrar en comunicación con ese Dios es rezar y al hacerlo el hombre satisface la necesidad de espiritualidad que lleva dentro. Gandhi decía, con razón, que «orar no es pedir; orar es la respiración del alma». Orar no es presentar a una especie de «conseguidor» una lista de productos más o menos necesarios, sino satisfacer el ansia de espiritualidad, de trascendencia, que siente el hombre y que ni siquiera un tipo de vida tan materialista como el nuestro consigue apagar del todo.

Tagore, otro maestro oriental, escribió un pensamiento bellísimo sobre el porqué de la oración, un pensamiento que deja claro que el verdadero creyente no hace de Dios un sucedáneo barato de supermercado: «¿Por qué continúo pidiéndote si ya me has dado tanto? No vengo solo a beber agua, vengo por el manantial; no para que me permitan llegar hasta tu puerta, sino para poder entrar en la sala de mi Señor; no solo por el amor, sino por el amante que lo da».

La oración busca, por tanto, poner en comunicación a dos amigos, a dos amantes, a dos personas que se quieren y se necesitan. Cuando es así la oración es todo lo contrario que alienación del alma, droga que aleja del compromiso o morfina que ayuda a evadirse de la realidad; por el contrario, como hace ya muchos siglos- escribió el abad San Doroteo: «Quien esta fortalecido por la oración tolerará fácilmente, sin perder la calma, a un hermano que lo insulta».

Y Santa Teresa lo expresaba magníficamente con su hermosa poesía:

Nada te turbe,
nada te espante,
todo se pasa,
Dios no se muda;
la paciencia
todo lo alcanza;
quien a Dios tiene
nada le falta:
solo Dios basta.

Dentro del capítulo de la oración merece la pena hablar de los sacramentos. No es el momento de hacer una presentación de ellos, que, como se sabe, son siete y tienen la misión de acompañar al cristiano tanto en las grandes solemnidades de su existencia como en la misma vida cotidiana. Me gustaría referirme especialmente a dos: la penitencia y la eucaristía.

A través de estos sacramentos, lo mismo que a través de los demás, Dios da su fuerza para que el hombre pueda llevar a cabo una acción determinada, o para producir un efecto particular en el que recibe ese sacramento. En el caso de la penitencia, se trata de liberar al hombre del pecado, de perdonarle el pecado que cometió y de ayudarle en la lucha para que no lo vuelva a cometer. En el caso de la eucaristía, se trata de poner al creyente en contacto con el mismo Cristo- a fin de sostenerle en el esfuerzo cotidiano por la perfección y a fin de permitir la comunión entre dos amigos que se aman y se buscan.

Ambos son dos «inventos» divinos maravillosos. Sin la penitencia, el cristianismo sería inhumano e impracticable; con una moral tan hermosa y a la vez tan elevada, el hombre se vería invitado a imitar a Dios sin nada que le ayudara a levantarse cuando fracasa en el intento; sin la penitencia, el cristianismo sería fuente de enfermedades psíquicas, pues el ser humano se vería continuamente confrontado con su propia realidad pecadora sin recibir ni comprensión ni ayuda para superarse a sí mismo. En cambio, la penitencia nos habla continuamente del amor misericordioso de Dios, de que Él está siempre dispuesto a ayudarnos y de que antes de que la palabra *perdón* haya salido de nuestros labios ya ha acudido Él a darnos el abrazo de la reconciliación.

En cuanto a la eucaristía, solo me cabe decir que, si se cree en ella, es la prueba mayor del amor de Dios. El Señor no solo se hizo hombre y se dejó crucificar, sino que aceptó la humildad del pan para poder estar siempre a nuestro lado, dentro incluso de nosotros, consolándonos por dentro, reanimándonos por dentro, haciéndose de nuestra propia carne para transformarnos en su mismo cuerpo divino. Quien haya experimentado el consuelo y la felicidad que proporciona la comunión sabrá por qué el cristiano sincero, aunque sea pecador, no puede renunciar a su fe ni ante un pelotón de fusilamiento. Y es que cuando te has sentido querido por Dios a través de la Cruz y de la eucaristía, sabes lo que es el amor y resulta ya imposible renunciar a la felicidad que ese amor otorga.

Por último quisiera hablar de algo que está, aparentemente, poco de moda, al menos entre los «intelectuales». Me refiero al amor y a la devoción a la Virgen. Es verdad que la perseverancia del pueblo en ciertas procesiones y peregrinaciones marianas –el Rocío, par ejemplo– ha hecho a esos intelectuales respetar un poco más una devoción tan criticada en los últimos años. Pero lo cierto es que, en el catolicismo, la figura de María ocupa un lugar privilegiado y aporta al creyente un toque materno y femenino que completan eficacísimamente la dimensión paterna y masculina representada por Dios Padre y por Cristo.

María es el desahogo, el consuelo, la luz que brilla en la más oscura de las noches, la madre que no te falla nunca, aquella que te sigue queriendo aunque hayas dejado de merecerlo. Por eso la gente acude a sus ermitas y pugna por tocar su manto o por llenar de plata sus coronas; son expresiones de amor, aunque, recordando lo que decía San Juan Crisóstomo, no deberían estar reñidas con la generosidad hacia los que pasan hambre y tienen necesidades materiales. En todo caso, el amor a María, cuando es auténtico, se traduce en solidaridad con el prójimo, pues él es también hijo de María como nosotros y eso le hace hermano nuestro. Carlo Carretto, un gran maestro de espiritualida, hablaba así del amor a la Virgen y del rezo del rosario: «Meditéis o no meditéis, os distraigáis o no os distraigáis, si amáis el rosario y no podéis pasar un día sin rezarlo, significa que sois hombres de oración. El rosario es como el eco de una ola que choca contra la orilla, la orilla de Dios: Dios te salve, María... Dios te salve, María... Dios te salve, María. Es como la mano de la Madre sobre vuestra cuna de niño; es como la señal de un abandono de todo difícil razonamiento humano sobre la oración, para la aceptación definitiva de nuestra pequeñez y de nuestra pobreza».

Poco más quiero decir sobre la oración. No hay que temer que se convierta en una práctica alienante si se hace bien, si se hace como enseñaba Santo Tomás de Aquino: «Se le pueden hacer muchas preguntas a Dios en la oración. Lo que hay que procurar es que sean correctas. El primero que preguntó algo a Dios fue Caín. Le dijo: "¿Acaso soy yo el guardián de mi hermano?"»

Esa «respiración del alma» no aleja del prójimo, sino que, llenando al que la práctica de la fuerza de Dios, le pone de nuevo en medio de los hombres a los que ahora ve con una mirada distinta; ya no son «el infierno» de Sartre, ni «el lobo» de Hobbes; ahora son «el hermano», hijo del mismo Padre, Dios, y de la misma Madre, María. Alguien pecador como tú, ciertamente, pero que, también como por ti, Cristo murió y resucitó. Alguien a quien amar y no de quien huir o a quien odiar.

LA DIFÍCIL MISIÓN DE LA IGLESIA

«La gente no busca razones, sino excusas para hacer lo que quiere hacer.» (Somerset Maughan)

«Si hoy Jesucristo volviese a la tierra, no lo crucificarían otra vez. Lo llevarían a cenar, escucharían lo que tuviese que decir y se reirían de El.» (Thomas Carlyle)

«¡Qué difícil es que un rico entre en el Reino de los Cielos!», dijo Cristo a sus sorprendidos apóstoles, los cuales reaccionaron diciendo que, en ese caso, pocos iban a ser los que se salvaran. Pues bien, ¡qué difícil es que a Cristo se le entienda y se le acepte, por más que sean hermosas sus palabras y ejemplar su comportamiento! La dificultad está siempre en el mismo sitio, y esto vale para cualquier época de la historia: a Cristo se le rechazará siempre por lo mismo por lo que se le aceptará; unos se irán de su lado porque dice cosas que no gusta oír, mientras que otros acudirán a Él porque comprenden que ese mensaje, aunque sea exigente, es el único que tiene palabras de vida eterna.

Esto ha sido siempre así y siempre lo será; no es una característica exclusiva de nuestra época ni el rechazo del mensaje cristiano ni el intento de manipularlo para suprimir de él aquello que no sintoniza con los gustos del momento. Tampoco es una novedad que ese rechazo haya sido canalizado a través de la Iglesia; en el fondo es lógico que sea así, pues es la Iglesia la que nos aproxima el mensaje de Cristo, la que nos lo recuerda y lo hace actual; suprimida su voz, sería muy fácil entrar a saco en el Evangelio para cortar y arrojar lo que incomoda y dejarlo perfectamente adaptado a nuestros intereses. «Oímos nuestras faltas con mucha facilidad -decía La Rochefoucauld- cuando solo las conocemos nosotros mismos.» Sin la Iglesia hace muchos siglos que el cristianismo habría desaparecido o se habría modificado de tal modo que tendría poco que ver con el mensaje primitivo; los poderosos lo habrían ido acomodando para servir a sus planes políticos o económicos, mientras que la gente corriente habría hecho lo propio aunque solo fuera para justificar sus necesidades más instintivas.

Cristo atrae y fascina, pero a la vez es exigente y por eso repele. Muchos quieren acercarse a Él, pero sin dejarse transformar por Él. Y el obstáculo que se interpone en su camino es la Iglesia. Por eso es la Iglesia el enemigo a batir. En una época como la nuestra, lo es por dos motivos bien distintos; para los grandes, lo es porque no les permite manipular a su antojo la conciencia del pueblo, mientras que para los sencillos, lo es porque se opone a un estilo de vida consumista en el cual todo vale si da placer y comodidad. La Iglesia de hoy, como la de siempre, sigue alzando su voz para proclamar el Señorío de Dios y la defensa de los débiles; lo mismo cuando protesta por el abuso que sufren las naciones del Tercer Mundo que cuando defiende a los no nacidos, lo mismo cuando recuerda al cristiano que debe compartir que cuando recuerda a los políticos los derechos de las minorías, la Iglesia siempre incomoda y por eso siempre se la criticará.

Amado Nervo decía que «el espíritu del cristiano es un espíritu de sacrificio» y quizá no haya nada más antipático en este momento que la idea de sacrificio. Chesterton, por su parte, afirmaba que «la verdad psicológica fundamental no es que ningún hombre sea un héroe para su ayuda de cámara; la verdad psicológica fundamental, el fundamento del cristianismo, es que ningún hombre puede ser un héroe para sí mismo», y ya me dirán si hay algo más incómodo hoy que una voz que te recuerde que tienes defectos y que no eres tan grande como te crees.

Este empeño es tanto más fácil cuantos más motivos dé la Iglesia para justificar las críticas. Esos motivos son los pecados de los eclesiásticos, así como sus errores históricos; ambos, pecados y equivocaciones, son inevitables, pues no en vano la jerarquía de la Iglesia es de la misma pasta que el resto de los bautizados: son seres humanos y no ángeles del cielo. Los pecados han ido siempre a la par que las virtudes en la historia de la Iglesia, que si bien puede mostrar un rostro ejemplar de santidad -con personajes como San Francisco, San Vicente de Paul o Santa Teresa- tiene en su debe otros casos mucho menos presentables.

Pero el gran secreto de la Iglesia, su fuerza y el motivo por el que el cristianismo no ha desaparecido a pesar de los errores de los hombres, es que no se predica a sí misma, sino a Cristo y a Cristo crucificado y resucitado. Ningún Papa, ni tan siquiera ningún santo, le ha dicho jamás a nadie: «Sígueme.» Es a Cristo al que todos quieren y deben seguir. Y ese Cristo jamás ha decepcionado a nadie. Lo expresó magníficamente Graham Greene en *El poder y la gloria** , cuando hace decir al cura acosado por el policía marxista: «Esa es otra diferencia entre ustedes y nosotros. Es inútil que trabajen en pro de sus ideales, si no son personalmente correctos. Y no siempre habrá hombres correctos en su partido. Entonces volverá la antigua miseria, volverán los golpes, los enriquecidos. Pero no importa mucho que yo sea un cobarde... y todo lo demás. A pesar de todo puedo seguir ofreciendo el cuerpo de Dios a la boca de los hombres, y también puedo darles el perdón de Dios. Sería exactamente lo mismo si todos los curas de la Iglesia fueran como yo».

Por lo demás, cualquier persona inteligente y que no esté predispuesta de antemano contra lo que desea desprestigiar, comprenderá que donde hay hombres hay errores y que lo importante es el balance de conjunto que pueda ofrecer la institución. Además, si la Iglesia no estuviera formada por hombres con defectos, ¿tendría yo cabida en ella? Lo dijo magníficamente Martín Descalzo, que vivió en una época de fuertes críticas contra la institución y que fue una de las pocas voces que se alzaron en su defensa: «Amo con mayor intensidad a la Iglesia precisamente porque es imperfecta. No es que me gusten sus imperfecciones, es que pienso que sin ellas hace tiempo que me habrían tenido que expulsar a mí de ella. A fin de cuentas, la Iglesia es mediocre porque esta formada por gente como nosotros, como tú y como yo. Y esto es lo que, en definitiva, nos permite seguir dentro de ella».

No se trata de justificar los errores de la Iglesia. Ahí están y en repetidas ocasiones los Papas han pedido perdón en público por ellos, lo cual, por cierto, no lo han hecho los herederos de las ideologías que tantos desastres han causado en la historia reciente. Se trata de ver si el ideal cristiano, el modelo representado por Cristo,

---

*Seix i Barral, Barcelona, 1986

tiene o no validez. Se trata, y ése era el objeto de este libro, de averiguar si es mejor tener o no tener fe, si para el hombre y la mujer corriente le ayuda o le perjudica creer en alguien que le habla de amor y de esperanza, de perdón y de generosidad.

Se trata, en definitiva, de comprender que los sentimientos profundos del ser humano, ese hambre de eternidad, de felicidad plena, de nobles ideales, de amor, no son «inventos» suyos o de los poderosos, sino que responden a la propia e inmutable naturaleza humana; responden a la huella de Dios que el Creador dejó impresa en el corazón humano.

«Tú me hiciste, Señor, para ti y mi corazón andará inquieto hasta que descanse en ti», así lo expresó San Agustín y así lo han vivido millones y millones de personas desde que el ser humano alzó su espalda y miro de frente y a los ojos a su propia historia. «Solo en Dios descansa mi alma», reza un viejo salmo; «como cierva sedienta en busca de agua, así mi alma te busca a ti, Dios mío», dice otro. Son expresiones de un hambre y de una sed eternas que claman en el interior de cada ser humano y que solo Dios puede saciar. Y es mejor que lo haga él, pues, de lo contrario, su lugar, irremediablemente, es ocupado por otros «dioses», por ídolos tan falsos como el dinero, el poder o el sexo, que nos hacen daño como personas y que terminan por destruir la sociedad haciendo de ella una selva dominada por la ley del más fuerte.

«Hay que oír siempre la llamada de Dios que grita ¡Socorro!», decía Nikos Kazantzakis. Escucha esa voz que clama en tu propio interior y acude en su ayuda, en tu ayuda. Dios grita socorro en ti, porque eres tú quien necesitas ayuda para que no desaparezca, aplastado por el consumismo, lo mejor de ti mismo; es, a la vez, Dios quien pide auxilio fuera de ti, en esos miles de prójimos que sufren con los infinitos dolores que aquejan a los hombres, y espera que tú no hagas oídos sordos a su clamor y no des la respuesta de Caín: «¿Acaso soy yo el guardián de mi hermano?» Para el creyente esa respuesta será imposible, porque la voz de Dios continuará sonando y le dirá, potente: «Sí, tú eres el guardián de tu hermano, y lo que hayas dejado de hacer al más pequeño, a mí me lo has dejado de hacer».

Vuelve a casa, déjate querer por un Dios que ha dado la vida por ti, escucha la intuición que grita en tu interior y que te dice que tiene que haber algo más. Deja que Dios cure tus heridas morales, llene tu soledad y te devuelva la esperanza. Recupera, a la vez, tu conciencia para que no pase a tu lado ningún hombre sin que tú te des cuenta de que ya no es un extraño o un enemigo, sino tu hermano.